Bedeschi, Francisco
Fly fishing México : the Yucatán península / Francisco Bedeschi y
Juan Pablo Reynal. - 1ª ed. – Bariloche: Fly Fishing Patagonia, 2004
140 p.; 33 x 25 cm.

ISBN 987-20546-1-4

1. Pesca con Mosca-Fotografías I. Reynal, Juan Pablo II. Título
CDD 799.124

La división sociopolítica de los mapas que aparecen en este libro,
son orientativos y no comprometen de ninguna manera
a la república de México.

flyFishing
MEXICO
THE YUCATAN PENINSULA

JUAN PABLO REYNAL
DANIEL BEILINSON

CREDITS - CREDITOS

PRODUCTION, TEXT AND TRANSLATIONS

PRODUCCION, TEXTOS Y TRADUCCIONES

Juan Pablo Reynal

PRODUCTION AND TEXT / *PRODUCCION Y TEXTOS*

Daniel Beilinson

PHOTOGRAPHY / *FOTOGRAFIAS*

Francisco Bedeschi

Fritz Eisele, Juan Pablo Reynal

GRAPHIC DESIGN / *DISEÑO GRAFICO*

Mariana Alvarez y Daniel Nieco

MAPS / *MAPAS*

Ezequiel Casalla

PAINTINGS / *PINTURAS*

Marcelo Gianechinni

INTRODUCTION AND COZUMEL CHAPTER/

INTRODUCCION Y CAPITULO DE COZUMEL

Nassim Joaquin Delbouis

PRODUCTION ASSISTANT / *ASISTENCIA DE PRODUCCION*

Roxana Ramospe

ENGLISH CORRECTIONS AND TRANSLATIONS/

CORRECCIONES EN INGLES Y TRADUCCIONES

Audrey & Edward Shaw

SPANISH CORRECTIONS / *CORRECCIONES EN ESPAÑOL*

Maria Argel

TRAVEL ARRANGEMENTS / COORDINACION DE VIAJES

Marta Vila

DIGITAL SCANS / *DIGITALIZACION*

DOT Prepress

QUEDA HECHO EL DEPOSITO QUE MARCA LA LEY 11.723

ISBN N° 987-20546-1-4

Index - Indice

THE HISTORY OF FLY FISHING IN MEXICO
HISTORIA DE LA PESCA CON MOSCA EN MÉXICO

BY/POR NASSIM JOAQUÍN

Generations of anglers from all over the world have been captivated by the turquoise and relaxing waters of southern Mexico.

The epicenter for the growth of fly fishing in Mexico has been the Yucatán Peninsula, specifically the State of Quintana Roo, an area which dominates the Mexican Caribbean.

After the Second World War, in the early fifties, Americans returned to their country with a new international hierarchy. Fishermen from the U.S at last had the opportunity to relax and practice their favorite sport.

Salt water fly fishing grew rapidly, first on the East coast of the United States and then to the south, in Florida. It was there were these enthusiasts began to experience the unknown world of fly fishing in the flats or shallow waters.

The fly fishing techniques we know today were developed by anglers such as Joe Brooks, Ted Williams, Luis de Hoyos, Lee Wulf, Billy Pate, Lefty Kreh, Stu Apte, Lee Haskell Perkins and many more. These adventurers wished to explore new fishing destinations similar to those in Florida, so the next frontier became Mexico.

The waters of the Mexican Caribbean began thus to welcome visitors from the North who arrived with their long rods and then came into contact with local fishermen. This gave birth to a new breed of fishing guides who became specialists in

Las turquesas y relajantes aguas del sur de México han cautivado a generaciones de pescadores con mosca de todo el mundo.

La Península de Yucatán, específicamente el Estado de Quintana Roo, que domina el Caribe Mexicano, fue el epicentro del desarrollo de la pesca con mosca en México.

En el inicio de los años '50, tras el final de la II Guerra Mundial, los estadounidenses regresaban a su tierra con una nueva jerarquía internacional. Los pescadores de ese país por fin tenían la oportunidad de distenderse y poder practicar su deporte favorito.

La pesca con mosca en el mar empezó a practicarse aceleradamente, primero en la costa Este de los Estados Unidos y después con un mayor auge hacia el Sur, en la Florida. Fue ahí donde los entusiastas empezaron a incursionar en ese universo por descubrir, la pesca con mosca en los flats o aguas bajas.

Pescadores como Joe Brooks, Ted Williams, Luis de Hoyos, Lee Wulf, Billy Pate, Lefty Kreh, Stu Apte, Lee Haskell Perkins y muchos más, desarrollaron las técnicas de pesca que hoy conocemos. Estos aventureros, tenían el deseo de explorar otros destinos de pesca, similares a los de la Florida. Entonces, la frontera inmediata fue México.

Las aguas del Caribe Mexicano empezaron a ser frecuentadas por estos visitantes del Norte, que llegaban con cañas largas y quienes empezaron a hacer contacto con los pescadores locales. Nació así una casta de guías, especializados en capturar a las cuatro grandes especies de los flats: macabí, sábalo, palometa y róbalo.

M. Gianecchini

catching the four most sought after species of the flats: bonefish, tarpon, permit and snook.

The major milestone which marked the birth of fly fishing in Mexico, came with the inauguration of the legendary Boca Paila Lodge. This happened as a result of the hard work of Antonio González Fernández, a native from Cozumel Island. He was a passionate and enthusiastic fisherman, and one time Mayor of Cozumel, who befriended some of the American fly fishermen, who demanded better services on their outings. He thus decided to slowly transform his father's coconut farm into a fishing lodge. This way the successful Boca Paila fishing lodge was born in the early 60's and as a result the name of Antonio González is today remembered in connection with the birth of fly fishing in Mexico.

Local guides such as Gaspar Chulim, Jorge y

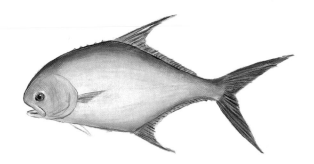

Antonio González Fernández once Mayor of Cozumel and founder of Boca Paila Lodge. Antonio González Fernández fue alcalde de Cozumel y fundador del campo de Pesca de Boca Paila

El momento histórico que marcó el inició de la pesca con mosca en México fue el surgimiento del legendario lodge Boca Paila, de manos del cozumeleño Antonio González Fernández. Este hombre, un pescador apasionado que llegó a ser alcalde de la Isla de Cozumel, entró en contacto con algunos de los mosqueros estadounidenses que demandaban mejores servicios para sus excursiones. Entonces, decidió transformar lentamente un rancho de copra (coco) de su padre en un campamento de pesca. Así nació el exitoso Boca Paila, a principios de los años '60. Como consecuencia, la figura de Antonio González marcaría para siempre el nacimiento de la pesca con mosca en México.

Guías locales como Gaspar Chulim, Jorge y Arturo Caamal, Papo, Pedro Canseco, Jorge Pérez "Goyo" y muchos más, acompañaban a estos amantes de la mosca en sus viajes exploratorios por la Península de Yucatán.

De manera incipiente, Demetrio López y Gaspar Chulim, como guía, organizaron los primeros viajes de pesca con mosca en la Isla de Cozumel, lugar donde nació el turismo en el Estado de Quintana Roo. Lo hacían desde la tienda de Aqua Safari, a principios de los años '60, y también desde el hotel Cabañas del Caribe.

Arturo Caamal, Papo, Pedro Canseco, Jorge Pérez "Goyo" and many others, would accompany those fly fishing enthusiasts on their early exploratory trips throughout the Yucatán Peninsula.

The first fly fishing trips on Cozumel Island were organized by Demetrio López with Gaspar Chulim as guide. This is where tourism was born for the State of Quintan Roo. In the early 60's they used the Aqua Safari store as their base, and also the Hotel Cabañas del Caribe.

As a result of the success of Boca Paila, along with the entrepreneurial vision of another young native from the Island of Cozumel, Mauro González Angulo, a second fishing lodge came into being in the State of Quintana Roo. The legendary Pez Maya Lodge opened its doors in 1970 and hosted the likes of Paul Newman and Ted Williams.

Jack Muller, a fisherman from Islamorada, Florida, supported Mauro González in the training of local guides who learned rapidly.

The fame of this area attracted many visitors, mostly from the U.S. All were captivated by the wonders of the Mayan world and the diversity of fishing environments offered by the Yucatán Peninsula.

"Deceiver Green/Black"

A raíz del éxito de Boca Paila y con la visión empresarial de otro joven cozumeleño, Mauro González Angulo, surgió el segundo campo de pesca en Quintana Roo, el legendario Pez Maya, que abrió sus puertas en 1970 y tuvo como invitados de honor a Paul Newman y Ted Williams.

El pescador Jack Muller, de Islamorada, Florida, apoyó a Mauro González en el entrenamiento de los guías locales, quienes aprendieron rápidamente.

Los que llegaron atraídos por la fama del lugar, en su mayoría norteamericanos, se asombraban con las maravillas del mundo maya y la diversidad de pesca que presentaba lo que ellos conocían como la Península de Yucatán.

Los récords de pesca empezaron a establecerse en la zona, y el prestigio de estos establecimientos y de esa antigua tierra de los mayas fue en aumento.

No obstante, el crecimiento acelerado de la pesca con mosca en Quintana Roo llega en los años '70, tanto para Boca Paila como para Pez Maya. En esa época, empezaron a desarrollarse otros sitios que ofrecían sus servicios de pesca en la Isla de Cozumel y al norte de Cancún, centro que todavía no adquiría su fama internacional.

Personajes como Carlos Vega y su agencia de viajes especializada Aquarius Travel, exploraban otros territorios, para practicar el deporte, al norte del Estado de Quintana

Fishing records for the area began to be established, and the prestige of the lodges grew, as did interest in the ancient Mayan world.

Nevertheless, the explosive growth of fly fishing in Quintana Roo arrived in the 70's, both for Boca Paila as well as Pez Maya. At that same time, other destinations began to develop their fishing services on Cozumel Island and north of Cancun, a little known destination, which had not yet acquired its international fame. Other alternate fishing sites were also being explored in the north of the State of Quintana Roo, especially in the regions of Cabo Catoche, Isla Blanca and Cozumel Island. This work was being carried out by people like Carlos Vega and his specialized travel agency, Aquarius Travel.

The prototype Mexican fly fisherman was personified by Antonio Gonzalez. With hopes of developing new horizons, he had purchased some land to the south of Boca Paila, in Ascención Bay, Santa Rosa. There he planned to build a second fishing lodge and open up access to the fishing in Ascención Bay. However, an airplane accident cut his life short. Nevertheless, just before his death he had leased an area known as Punta Pajaros, located to the south of Ascención Bay, were he had planned to organize fishing excursions into the bay.

Later, on that same location, one of the most prestigious lodges in the Yucatán Peninsula would be built: Casa Blanca, today under the direction of Bobby Settles.

"Moe Bonefish"

Roo, especialmente en la zona de Cabo Catoche-Isla Blanca y la Isla de Cozumel.

Antonio González, encarnó el prototipo de pescador mexicano con mosca. Con el deseo de crecer, había comprado unas tierras al sur de Boca Paila, en la Bahía de la Ascensión, en Santa Rosa, donde planeaba edificar un segundo campo de pesca en la zona sur, a fin de explotar la actividad en la Bahía de la Ascensión. Pero la muerte lo sorprendió en un accidente aéreo. Sin embargo, poco antes de fallecer, había rentado un lugar conocido como Punta Pájaros, al sur de la Bahía de la Ascensión, para organizar viajes desde ese punto hacia el interior de la Bahía.

Más tarde, en ese mismo lugar, se edificaría uno de los lodges más prestigiosos de la Península de Yucatán: Casa Blanca, hoy dirigido por Bobby Settles.

Años después, al sur de la Bahía Ascensión se creó su campo hermano: Playa Blanca, en la Bahía del Espíritu Santo.

Con los años, se establecieron otros campamentos de pesca en la zona, especialmente en la Bahía de la Ascensión, y surgieron guías independientes y sobresalientes en las islas, como Nacho Euan, en Cozumel, y Alejandro Vega, "el ruso" o "Mr. sandflea", en la Isla de Holbox.

El pueblo de Xcalak, al extremo sur de la Bahía de Chetumal, sería la última frontera con un enorme potencial, por descubrir. Allí se establecería el campamento de pesca Costa de Cocos, a cargo de David e Ilana Randall, y se desarrollarían algunos guías independientes como Alberto Batun Palomo y Nemesio Young.

Otras áreas de México eran exploradas por pescadores con mosca extranjeros, incluyendo el norte del país, especialmente el Mar de Cortés y el Océano Pacífico. Pero fue

Years later, to the south of Ascensión Bay a sister lodge was developed: Playa Blanca in the Espíritu Santo Bay.

With the passing of the years, other fishing lodges would be established in the area, most of them in Ascensión Bay. Many outstanding independent fishing guides appeared on the islands such as: Nacho Euan, in Cozumel; Alejandro Vega, "El Ruso" or "Mr. Sandflea", on the Island of Holbox.

The town of Xcalak, on the southern tip of Chetumal Bay, would be the last frontier to be discovered, with enormous potential. This is where Costa de Cocos lodge would be set up, under the direction of David and Ilana Randall. Several independent guides such as Alberto Batun Palomo and Nemesio Young would develop their skills in this area.

Other areas in Mexico were explored by foreign fly fishermen, including the north of the country, especially the sea of Cortés and the Pacific Coast. But it was to be in the center of Mexico, in D.F. and in the State of Puebla, where freshwater fly fishing for trout became popular amongst the locals.

At the same time, many Mexicans became acquainted with salt water fly fishing. In the central area of Mexico several clubs arose, such as the Arco Iris, where for the first time Mexican fly fishermen began to gather. Meanwhile, in the 90's the first fly fishing association was formed on the Yucatán Peninsula - the Península Fly Fishing Club. Its members were mostly Mexicans who had been introduced to this kind of fishing through contact with people from abroad. They were no longer fishing guides or tour operators; they were fly fishermen in their own right.

Yucatan fly fishing pioneer
Ataulfo de la Cruz Burelo.
*Ataulfo de la Cruz Burelo uno de los pioneros
de la pesca con mosca en el Yucatan*

en el centro de México, en el D.F. y en el Estado de Puebla, donde empezó a popularizarse entre los locales la pesca con mosca en agua dulce, especialmente de truchas en criaderos.

Paralelamente, muchos mexicanos empezaron a conocer la pesca con mosca en agua salada. En el centro de México, aparecieron varios clubes como el Arco Iris, donde por primera vez se empezaron a agrupar los mosqueros mexicanos. Mientras que en la Península de Yucatán, nacería en los años '90 la primera asociación de esta actividad, el Club de Pesca con Mosca Península, integrado en su mayoría por mexicanos, quienes ingresaron a esta modalidad de pesca a través del contacto con los extranjeros. Ya no eran simples guías u operadores, sino verdaderos mosqueros.

HOLBOX

ISLAND - ISLA

BY/POR DANIEL BEILINSON

"Black Death"

Holbox Island is situated on the northeast part of the Yucatán Peninsula. Due to its tranquility and the beauty of its landscapes, it is considered one of the most attractive spots of the Yum Balam ecological reserve.

It is some 40 Km long and 2 Km wide and is separated from the mainland by the Yalahua lagoon. Throughout the year it is possible to find two highly prized species in the waters in and around Holbox: the tarpon and the snook.

Between the months of May and September the star of the region arrives: The giant tarpon with specimens of up to 200 pounds. Bonefish and permit can also be fished in the area between Cayo Ratón and Isla Blanca during the months of March to November.

Our fishing days in Holbox would begin at dawn, around 5:30 am. One very calm June morning, I recall leaving in two boats from the town of Holbox, heading for Cabo Catoche, an hour away and some three miles out to sea. Once at the chosen location our guides set about finding the schools of giant tarpon, known colloquially as the Silver Kings. From a distance the surface of the sea seemed to be boiling, their enormous backs shining as they rose from the depths and their great heads surfacing each time they rolled.

We approached at a high speed to intercept their path with our pangas, and then switched off our engines some 100 yds. before reaching them, so as not to

Por la tranquilidad y la belleza de sus paisajes, Holbox, una isla situada en la punta noroeste de la península de Yucatán, está considerada como uno de los lugares más atractivos dentro de la reserva ecológica de Yum Balam.

Tiene una extensión de 40 kilómetros de largo y 2 de ancho y está separada de tierra firme por la laguna de Yalahua.

Sus aguas proporcionan durante todo el año dos especies de gran valor deportivo: el sábalo y el róbalo.

Entre mayo y septiembre arriba la estrella del lugar: el sábalo gigante, del que se han hallado ejemplares que superan las 200 libras. En la zona comprendida entre Cayo Ratón e Isla Blanca es posible pescar macabíes y palometa, entre marzo y noviembre.

Nuestros días de pesca en Holbox, comenzaban junto con el amanecer, cerca de las 5.30. Recuerdo que en una serena mañana de junio partimos con dos embarcaciones hacia Cabo Catoche, a una hora de navegación del pueblo de Holbox y unas tres millas mar afuera. Una vez en la zona elegida, los guías comenzaron a buscar a las escuelas de sábalos gigantes, conocidos como los Reyes de Plata.

A lo lejos parecía que la superficie del mar se agitaba, inmensos lomos resplandecientes emergían de las profundidades y grandes cabezas sobresalían cada vez que rolaban.

Nos acercamos a toda velocidad para interceptar su trayectoria con las

GOLFO DE MEXICO

Boca Limbo

Cabo Catoche ☼

Boca Nueva

Boca Palo Bravo

Boca Iglesia

Pajareras

ISLA HOLBOX

Punta Mosquito ☼

Hotelito Casa de las Tortugas

Caño Santa Paula

Holbox

Yoluc

Isla Pájaros

Punta Caracol

LAGUNA YALAGUA

Sabana Salsipuedes

Chiquila

RESERVA ECOLOGICA DE YUMBALAM

PENINSULA DE YUCATAN

N

The picturesque Hotelito Casa Las Tortugas, the perfect place to begin your fishing journey.
El pintoresco Hotelito Casa Las Tortugas, un lugar ideal para comenzar la aventura de pesca.

spook our prey. At that point our guides started rowing to place our craft in the right position in preparation for the cast.

When the first school of some 100 tarpon approached, "Beto" Marfil Vega, my guide, suggested I check my line and prepare for a cast of more than 20 yards. I tossed my 450 grain line and then allowed it to sink. Within seconds the tarpon arrived at the interception point, but ignored us, they were enormous!

With firm, continuous movements I started to bring in my line while at the same time working my fly. It happened in a flash. I felt an enormous jerk, and then my line started flying out of my reel at great speed. I was concerned for my

embarcaciones, apagamos los motores a cien yardas del contacto para no asustarlos, y en ese momento los guías comenzaron a remar colocando las pangas en posición para el cast.

Cuando el primer grupo de sábalos se aproximó en una escuela de más de cien, "Beto" Marfil Vega, mi guía, me sugirió que revise la línea y preparé un tiro de más de veinte metros. Entonces, lancé y dejé que mi línea de 450 grains tome profundidad. En segundos, los sábalos arribaron al punto de intercepción. Pero no les importábamos, ¡eran enormes!.

Con movimientos firmes y contínuos comencé a traer la línea haciendo trabajar bien la mosca. Fue instantáneo. Una fuerza arrolladora jalaba de mi línea a gran velocidad.

An idyllic spot from which to write about our adventures chasing after giant tarpons.
Una ubicación privilegiada para escribir la aventura tras los sábalos gigantes.

The fishing pangas await their return to sea on the white sand beaches of Holbox.
Las pangas pesqueras aguardan su retorno al mar, en las playas de arena blanca de Holbox.

reel and the possibility of the line becoming entangled in my feet; it felt like a runaway train, I had nailed a giant!

I pulled hard on the line several times to ensure that my Black Death on a 5/0 hook would penetrate the bony jaw of this prehistoric fish. It is common for the giant tarpon to break loose when they make their first leap if the hook has not penetrated. The tarpon, upon feeling caught, jerked strongly and leapt into the air. Seeing this silver giant break clean out of the water was amazing. I lowered my rod to try and lessen the tension on the line and as it hit the water it was still

Yo temía por el reel, temía que la línea se enganchase entre mis pies, era como sentir una locomotora que se llevaba todo por delante, ¡había clavado a un gigante!

Jalé de la línea varias veces para asegurarme de que mi Black Death con anzuelo 5/0 penetrara la mandíbula ósea de este pez prehistórico. Es común que los sábalos se desenganchen en el primer salto si la mosca no penetra.

El sábalo, al sentirse tomado, pegó un cabezazo y saltó fuera del agua. Ver salir entero a ese fantástico pez plateado fue fascinante. Bajé mi caña para no generar más tensión en la línea y cuando cayó al agua, aún lo tenía enganchado. Continuó su corrida

The island is 27 miles long and boasts the finest beaches in the Mexican Caribbean.
La isla tiene 43 kilómetros de largo y las mejores playas del Caribe Mexicano.

Bob Marley's influence is evident in this small home located in downtown Holbox.
La influencia de Bob Marley es evidente en esta pequeña casa ubicada en el centro de Holbox.

In Holbox there are no cars, so golf carts serve many purposes.
En Holbox no existen los automóviles y los carritos de golf cumplen múltiples usos.

en la profundidad hasta sacar toda la línea y más de 150 yardas de backing.

La contienda se planteaba como de resistencia y, al principio, se desarrolló a gran distancia. El sábalo saltó fuera del agua cuatro veces más hasta que lo fui acercando a la embarcación y entonces emergió lentamente cerca de nosotros para tomar aire. Primero se plantó, y luego comenzó a dar vueltas bajo nuestra panga, a unos quince metros de profundidad.

Yo mantenía el freno suficientemente ajustado para que no se lleve todo el backing, pero la caña #10 que estaba utilizando, en lugar de la #12 recomendada, se arqueaba de tal manera que parecía que iba a estallar en cualquier momento.

hooked. It continued its run down to the ocean's bottom taking all my line and 150 yards of backing.

The contest was fierce, and at the beginning took place at a great distance. The tarpon leapt four more times before I was able to bring it in close to our panga. At this point it came slowly to the surface to take in some air. At first it remained still and then started circling in the water, some fifteen feet below our craft.

I kept the brake tight enough, so that he couldn't take up all the backing, but the 10 wt. rod I was using instead of the recommended 12 wt. was bending so much it looked as if it could snap at any moment.

An artistic touch is provided by the painted doors and houses on the island.
Las puertas y casas pintadas le dan un toque artístico muy especial a la isla.

"Purple Death"

As I hung on with all my strength, I looked up from time to time to see how far away the other schools of giant tarpon were. As I watched them emerge and disappear again, I realized that my guide had known exactly where to find our prey.

After struggling for an hour, I managed to bring the fish close to our craft, and Beto was able to land him. It was a specimen weighing over 70 lbs. I had caught my first giant tarpon! During our adventure on Holbox island, Juan Pablo, an experienced Patagonian fly fisherman, and I caught numerous baby tarpon weighing between 7 and 20 lbs., several snook, sea bream, jacks and a total of four giant tarpon weighing between 70 and 110 lbs. Our fishing experience on Holbox proved to be both rewarding and captivating.

Mientras resistía con todas mis fuerzas, levantaba de tanto en tanto la vista para ver a la distancia otras escuelas de sábalos gigantes, que emergían y desaparecían. Me di cuenta que nuestros guías sabían muy bien dónde buscar para encontrar nuestra presa.

Una hora de lucha me costó acercarlo a la embarcación. Finalmente, Beto pudo tomarlo. Era un sábalo de unas 70 libras. ¡Mi primer gigante había sido pescado!. Durante nuestra aventura en la isla de Holbox, Juan Pablo, un experimentado mosquero patagónico, y yo logramos capturar numerosos baby tarpon de entre 5 y 20 libras, varios róbalos, pargos y jacks y un total de cuatro sábalos gigantes de entre 70 y 110 libras de peso. La pesca en Holbox se nos presentó generosa y atrapante.

A poem adorns the entrance of the El Colibrí Restaurant.
Un delicado poema adorna la fachada del restaurante El Colibrí.

Daniel Beilinson and Juan Pablo Reynal wade towards the start of their fishing adventure, while guides Tomas Zapata and "Beto" Marfil Vega await near their pangas.

Daniel Beilinson y Juan Pablo Reynal vadean hacia el punto de partida de sus aventuras de pesca, mientras los guías Tomas Zapata y "Beto" Marfil Vega aguardan frente a sus pangas.

Under "Beto" Marfil Vega's ever watchful gaze, Daniel Beilinson delivers a long cast to reach a school of snook.
Bajo la atenta mirada de su guía, "Beto" Marfil Vega, Daniel Beilinson y un long cast para llegar a una escuela de róbalos.

First catch of the day, Santa Paula straits.
La primera captura del día, en caño Santa Paula.

Victim of an 8 wt. Sage rod, weight forward floating line, 8 foot leader
and a red and yellow Deceiver tied on a 2/o hook.
*Pieza capturada con una caña Sage #8, línea de flote (WFF), leader de 8 pies y
un Deceiver rojo y amarillo atado en un anzuelo 2/o.*

The snook has a distinct lateral line. Most catches average 5 to 8 pounds, although the world record is over 53
pounds. This species is found primarily along mangrove shorelines and does not tolerate water temperatures
below 60 degrees Fahrenheit.
*El róbalo se distingue por su línea lateral. La mayoría de las capturas promedia las 5 a 8 libras, aunque el récord mundial asciende
a las 53 libras. Esta especie habita principalmente las zonas de manglares y no tolera temperaturas menores a 15 grados Celsius.*

Giant tarpon break the surface for air in schools of more than 50. To catch one, the cast must intercept the group's trajectory.
Los sábalos gigantes asoman sus lomos en escuelas de más de 50. Para capturar uno, el cast debe ser preciso e interceptar la trayectoria del grupo.

First casts of the day, three miles off Cabo Catoche.
Los primeros tiros del día, a cinco kilómetros de la costa de Cabo Catoche.

"Black Death"

This 90 pound giant tarpon gets ready for take off. The Black Death on a 4/0 hook is clearly visible.

Este sábalo gigante de 90 libras se prepara para despegar. Exhibe una Black Death con anzuelo 4/0 bien clavado.

The first jump near the boat is the most exciting, but is also the moment when most tarpon break loose.

El primer salto cerca del bote es el más emocionante, pero también es el momento en el que la mayoría de los sábalos logran desprenderse de la mosca.

Juan Pablo Reynal and his guide Tomas Zapata show off the day's catch.
Juan Pablo Reynal y su guía Tomás Zapata exhiben la captura del día.

"Tarpon Streamer Green / Yellow"

This magnificent 90 pound specimen was landed after giving battle for 45 minutes. A Sage 12 wt. Rod was used, with a fast sinking 450 grain line, anti-reverse reel and 350 yards of backing.
Esta bestia de 90 libras fue subida al bote después de 45 minutos de librar batalla. Se utilizó una caña Sage #12, línea de hundimiento rápido de 450 grains, reel con anti-reverse y 350 yardas de backing.

The Mr. Sandflea speeds off to a new fishing spot. This panga and the Mr. Tarpon are part of the invincible fleet belonging to Alejandro "El Ruso" Vega, the area's most prestigious outfitter.
El Mr. Sandlfea se dirige a toda velocidad hacia un nuevo punto de pesca. Esta panga, junto con el Mr. Tarpon, forman parte de la flota invencible de Alejandro "el ruso" Vega, el outfitter más prestigioso de la zona.

Exultant, guide "Beto" Marfil Vega cheers on his client Daniel Beilinson,
who doesn't intend to give up on an enormous 100 pound tarpon.
*Exultante, el guía "Beto" Marfil Vega, alienta a su cliente Daniel Beilinson que no
da tregua a un enorme sábalo gigante de 100 libras.*

Perfect technique: the angler releases tension from the line in
order to prevent the silver king from breaking free. Nine out of
ten tarpon hooked break loose from the fly before being landed.
*Técnica perfecta: el mosquero le quita tensión a la línea para impedir que el
rey de plata se escape. Nueve de diez sábalos enganchados se desprenden de
la mosca antes de ser capturados.*

A 10 wt. Sage rod resists the weight of a 100 plus pound giant tarpon, which customarily, in its last bid to regain freedom, anchors itself to the bottom of the ocean.

Una caña Sage #10 resiste el peso de un sábalo gigante más de 100 libras, que como es habitual, se clava en el fondo del mar en un último intento de eludir su captura.

After an hour and a half with the fish on the line, at the precise moment the guide attempted to land it, the tarpon got unhooked and escaped. The frustration of both men is written all over their faces.

Después de una hora y media con el pez en la línea del cliente, justo cuando el guía intentó subirlo al bote, el sábalo se desenganchó y huyó. La frustración de ambos hombres es evidente en sus rostros.

With splendid scenery as our back drop, we prepare to sail up the Chiptke River, Punta Caracoles.

En un esplendido escenario, nos preparamos para ingresar al río Chipetke, Punta Caracoles.

Equipment and flies

Baby tarpon: 8 wt. rod, floating line (WFF) or Intermediate, reel with a good disc brake and 250 yards of backing. Leader: 6ft. to 8 ft. with 40 to 60 lb. (hard) shock tippet. Flies: Black Death, Purple Death, Cockroach, or Tropical Punch, tied to hooks 1/0, 2/0 or 3/0.

Giant Tarpon: 12 wt. rod, 450 grain fast sinking line. Reel with good brake system and 350 yards of backing. Leader: 80 lb. test, 35 inches long, "Bimini Twist" with 20 lb. class tippet, and 100 lb. (hard) shock tippet. Flies: Black Death, Purple Death or Cockroach, tied to hooks 5/0 or 6/0.

Snook: 8 wt. rod, floating line (WFF) or Intermediate, reel with good disc brake and 250 yards of backing. Leader: 6 to 8 ft. and 40-60 lb. (hard) shock tippet. Flies: Seducer or Deceiver in orange, yellow, red and white, violet and black, tied to 2/0 or 3/0 hooks.

Permit: 9 wt. to 10 wt. rod, floating line (WFF), reel with good disc brake and 250 yards of backing. Leader: 9 to 10 ft. and 12 to 20 lb. shock tippet. Flies: Del's Merkin Crab, Rag Head, Brown Special tied to #2 and #4 hooks.

Bonefish: 8 wt. rod, floating line (WFF), reel with good disc brake system and 200 yards of backing. Leader: 9 to 10 ft. with 8 to 12 lb. shock tippet. Flies: Crazy Charlie, Gotcha, Bonefish Special in colors brown, sand, pink and white with flashabou all tied to #6 and #8 weighted hooks.

"Malzone's Tarpon Orange / Yellow"

6 a.m., heading towards Cabo Catoche.
06:00, rumbo a Cabo Catoche.

Equipos y moscas

Sábalo pequeño: caña #8, línea de flote (WFF) o Intermediate, reel con buen sistema de freno a disco y 250 yardas de backing. Leader de 6 a 8 pies con shock tippet de 40 a 60 libras (hard). Moscas atadas en anzuelos 1/0, 2/0 o 3/0 modelos Black Death, Purple Death, Cockroach, Tropical Punch.

Sábalo gigante: caña #12, línea de hundimiento rápido tipo teeny 450, reel con buen sistema de freno y 350 yardas de backing. Leader: butt de 80 libras y 35 pulgadas de largo, "Bimini Twist" de 20 libras class tippet, y shock tippet de 100 libras (hard). Moscas atadas en anzuelo 5/0 o 6/0 tipo Black Death, Purple Death o Cockroach.

Róbalo: caña #8, línea de flote (WFF) o Intermediate, reel con buen sistema de frenos a disco y 250 yardas de backing. Leader de 6 a 8 pies y shock tippet de 40 a 60 libras (hard). Moscas modelo Seducer o Deceiver en colores naranja y amarillo, rojo y blanco, violeta y negro atadas en anzuelo 2/0 y 3/0.

Palometa: caña #9-10, línea de flote (WFF), reel con buen sistema de freno a disco y 250 yardas de backing. Leader de 9 a 10 pies y shock tippet de 12 a 20 libras. Moscas atadas en anzuelos #2 y #4 modelo Del's Merkin Crab, Rag Head, Brown Special.

Macabi: caña #8, línea de flote (WFF) reel con buen sistema de frenos a disco y 200 yardas de backing. Leader de 9 a 10 pies y shock tippet de 8 a 12 libras. Moscas atadas en anzuelos #6 y #8 lastradas modelo Crazy Charlie, Gotcha, Bonefish Special, en colores marrón, arena, rosa y blanco con flashabou.

Cozumel

Island - Isla

By/Por Nassim Joaquín

"Velcro Crab"

Cozumel, also known as Golondrinas Island, is the largest in Mexico.

It is situated on the Yucatán Peninsula, part of the State of Quintana Roo. Its extensive coastline is surrounded by magnificent turquoise waters, renowned worldwide as one of the jewels of the Mexican Caribbean.

Many years prior to the rise in fame of Cancún and other destinations such as the Mayan Riviera, the jet set would come to these areas to enjoy diving in its famous coral reefs.

Due to the many years dedicated to these activities, today Cozumel offers excellent tourist facilities, with a wide variety of both water and land attractions for the angler.

On the access road en route to Pasión Island, to the north, stands the magnificent Hotel Playa Azul. This complex, one of the most luxurious and traditional in the region, has 50 rooms and an 18 hole golf course. Cozumel also offers botanical gardens, with attractions such as Chankaanab, dolphin aquariums, and Mayan ruins in the San Gervasio area. On the island there are also museums and ecological parks such as Punta Sur.

Cozumel, llamada también isla de las Golondrinas, es la más grande de México.

Se encuentra en la península de Yucatán, Estado de Quintana Roo, y sus extensas costas, bañadas por aguas azul turquesa, son reconocidas en todo el mundo como una de las joyas del Caribe mexicano.

Muchos años antes de la creación de Cancún y de nuevos destinos turísticos como la Rivera Maya, personalidades del jet set internacional frecuentaban la isla para bucear en sus famosos arrecifes de coral.

Debido a su temprana entrada a la actividad turística, Cozumel posee servicios de excelente nivel, con una gran diversidad de atractivos para el pescador, tanto dentro como fuera del agua.

En el camino de acceso hacia la Isla de la Pasión, en el norte, se destaca el magnífico hotel Playa Azul. El complejo, uno de los más tradicionales y lujosos de la zona, tiene cincuenta habitaciones y un campo de golf de 18 hoyos. Además, se pueden encontrar en Cozumel parques botánicos con numerosos atractivos como Chankaanab, delfinarios, antiguos vestigios mayas en la zona de San Gervasio y por toda la isla, museos y parques ecoturísticos como Punta Sur.

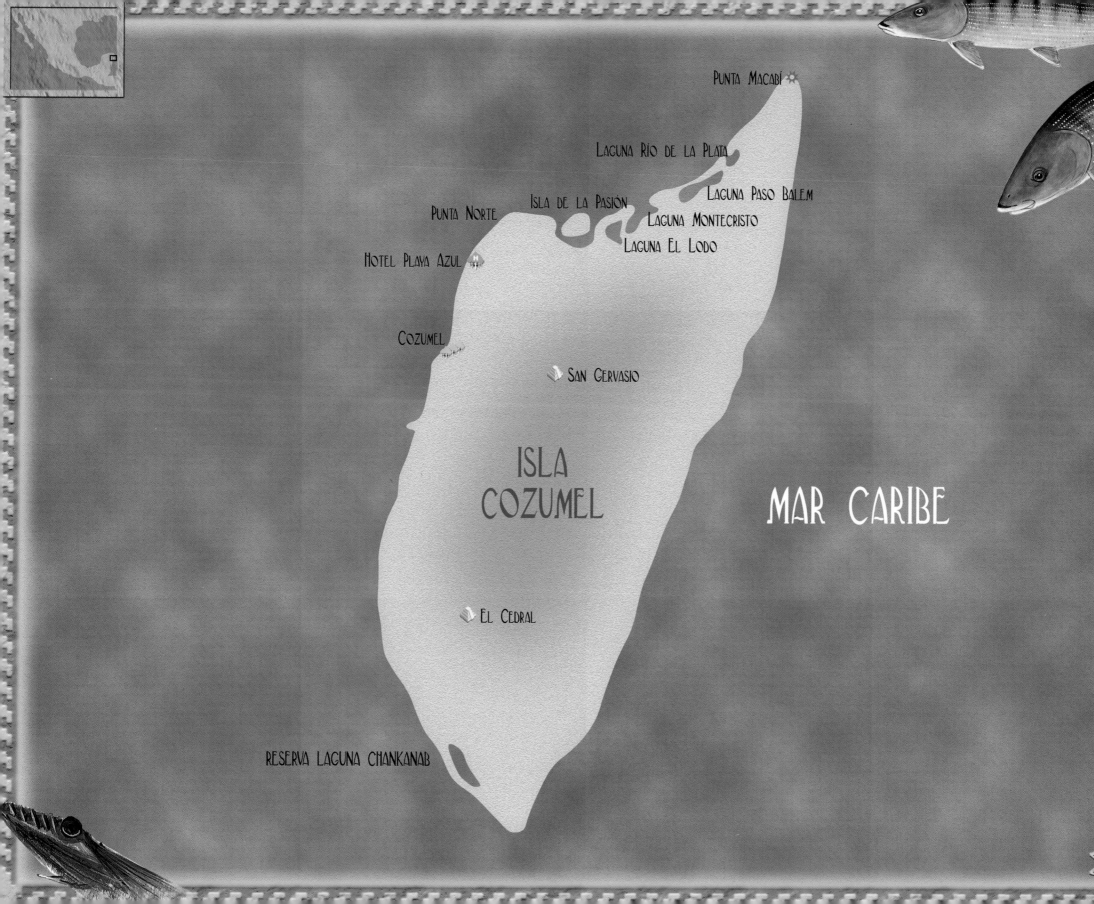

Punta Macabí

Laguna Río de la Plata

Laguna Paso Balem

Isla de la Pasión

Punta Norte

Laguna Montecristo

Laguna El Lodo

Hotel Playa Azul

Cozumel

San Gervasio

ISLA
COZUMEL

MAR CARIBE

El Cedral

RESERVA LAGUNA CHANKANAB

N

A "Sakbe" or white road in Mayan, as seen from the Celarain Point lighthouse located on the southern tip of the island.
Un "Sakbe", camino blanco en maya, visto desde lo alto del Faro de Punta Celarain, en el sur de la Isla.

To the north of the island, the salt water lakes of Ciega, Montecristo, Paso Balem and Río de la Plata, are considered exceptional for fishing. Other possible spots of interest for anglers are located on the northwest coastline such as: Macabí Point, Cocalito and Punta Norte.

All these areas are protected under the Mexican fishing laws and also thanks to the work carried out by the Club de Pesca con Mosca Península (the Península Fly Fishing Club), whose mission is to protect species such as the bonefish, permit, tarpon, snook and other exotic species from over fishing.

Cozumel is a destination that specializes in bonefish, which are abundant and can generally be seen "tailing" in very shallow waters all year round. It is also possible to enjoy good permit fishing in the months of February to June, snook during the winter and tarpon during all fishing seasons.

However, the bonefish is the most abundant on the island, averaging 3 lbs in weight and on occasions reaching 12 lbs. Fly fishermen consider this species an excellent adversary.

En la zona norte de la isla, las lagunas Ciega, Montecristo, Paso Balem y Río de la Plata, de aguas saladas, están consideradas como excepcionales puntos de pesca. Otros lugares de gran interés para la actividad se encuentran en la costa noroeste, como Punta Macabí, el Cocalito y Punta Norte. Todas estas áreas están protegidas por las leyes de pesca mexicanas y por la labor del Club de Pesca con Mosca Península, que tiene como fin preservar a las especies como el macabí, palometa, sábalo, róbalo y otras exóticas de cualquier intento de depredación.

Cozumel es un destino que se especializa en la pesca del macabí, puesto que hay miles de ellos y generalmente se los encuentra "coleando o tailing" en agua extremadamente baja durante todo el año. Existe también una buena pesca de palometa en los meses de febrero a junio, de róbalo en los meses de invierno, y de sábalo pequeño durante todas las temporadas.

Pero es el macabí la especie más abundante en la isla. Su peso promedio es de 3 libras y en ocasiones llega a alcanzar las 12 libras. Los mosqueros lo consideramos un excelente adversario.

The Playa Azul Hotel is strategically located in the northern part of the Island, just minutes away from the best fishing areas.
El Hotel Playa Azul está estratégicamente ubicado en la parte norte de la Isla de Cozumel, a escasos minutos de la zona de pesca.

All rooms at the Playa Azul have spectacular balconies with views of the Caribbean.
Todas las habitaciones en el Playa Azul tienen balcones con una magnífica vista hacia el Caribe.

Our intention was to fish in the lagoons in the north of the island for three consecutive days, with the idea of finding some bonefish and then trying our luck with the permit. With our three guides, Nacho Euan, his son Albert and Gaspar Chulim, we left Playa Azul at dawn, boarded the Tatich and Montecristo and headed for our destination, Río de la Plata lagoon.

That first morning the bonefish proved to be difficult, but thanks to their abundance and our perseverance we were able to catch many of them. They seemed to prefer small flies - on #4 and #6 hooks - with patterns like the Crazy Charlie, in coffee and gold, black and olive or orange and black.

We used 12 ft. leaders with 10-12 lb. tippet, because in this area there are many sharp rocks and mangroves which can easily cut the line.

Fishing for bonefish is really exciting, especially in this area where they "tail" in a very provocative way most of the time. Also, the shallowness of the waters and firm bottom make for very easy wading.

Once we had caught our quota of bonefish, we started to look for permit. Nacho and Albert working in one sector and Gaspar and I in another, we spent

Nuestra intención era pescar durante tres días consecutivos en las lagunas al norte de la isla con la idea de encontrar algunos macabíes y posteriormente probar suerte con la palometa. Con nuestros tres guías, Nacho Euan, su hijo Albert y Gaspar Chulim, dejamos el Playa Azul en la madrugada y luego abordamos las embarcaciones Tatich y Montecristo con rumbo a la laguna del Río de la Plata.

Esa primera mañana, los macabíes se presentaron difíciles, pero su abundancia y nuestra tenacidad nos permitieron apresar a muchos de ellos. Parecían preferir moscas pequeñas —en anzuelos #4 y #6— ligeramente pesadas, patrones como el Crazy Charlie en colores café y dorado, negro y verde oliva, o naranja y negro.

Utilizamos leaderes de cerca de 12 pies de largo con tippet de 10 o 12 libras, porque en la zona abundan las filosas rocas y los mangles, capaces de cortar la línea.

La pesca del macabí es realmente excitante, sobre todo porque en esta isla "colean" en forma provocativa la mayor parte del tiempo. Además, debido a la poca profundidad de las aguas, con fondo firme, el vadeo resulta más fácil.

Una vez cubierta la cuota de macabíes, empezamos a buscar palometas. Nacho y

The suites are modern, spacious and extremely comfortable.
Los cuartos son modernos, espaciosos y muy cómodos.

A deserted beach on the eastern coast of the Island.
Una playa solitaria en la costa Este de la Isla.

three days trying to track down this evasive fish.

During the previous mornings we had had a couple opportunities with small, 4-8 lb. specimens. However, they seemed to make a habit of rejecting all the flies we offered them.

At that point we gave up our on our search, as we were keen on visiting La Ruina, a Mayan monument situated in the middle of the Rio de La Plata lagoon. At the entrance, we crossed the narrow strip of land and mangroves dividing the sea from the lagoon and went inside, leaving our craft anchored on the ocean side.

In spite of the great beauty of the site we visited, our fishing adventure still seemed incomplete, since we had not caught the coveted permit. To our enormous surprise, when we came out of the lagoon a huge one was approaching just behind our boat. As it came up to feed, its beautiful black tail

Albert, por un sector, y Gaspar y yo, por otro, llevábamos tres días tratando de hallar a estas evasivas piezas.

En las mañanas anteriores habíamos tenido un par de oportunidades, con ejemplares pequeños de 4 a 8 libras. Sin embargo, tal como parecía ser su costumbre, rechazaron todas las moscas presentadas.

Durante la tarde de nuestro último día, obtuvimos algunos macabíes pero continuamos sin poder lograr la especie que buscábamos ansiosamente.

Desistimos, entonces, de nuestra búsqueda puesto que deseábamos visitar La Ruina, un monumento maya situado en medio de la laguna del Río de la Plata. Una vez en la entrada del lugar, cruzamos la corta franja de tierra y mangle, que divide al mar de la laguna, y nos dirigimos al interior, dejando la embarcación anclada a la orilla del mar.

A pesar de la gran belleza del sitio que visitamos, la aventura de pesca parecía

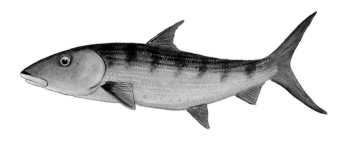

emerged from the water. This was our last opportunity knocking at the door, or in this case our stern, what a break!

It was unbelievable. In the wink of an eye the permit took the fly, a Velcro Crab #2 hooked up to the 10 wt. rod, and swam off in a vain attempt to empty all the backing on the reel.

After long minutes of battle, and despite the sharp coral heads which often came close to the 12 lb. tippet, Gaspar was finally able to hold the 15 lb. prize in his hands. At last, our wish to catch a permit with a fly had come true.

incompleta, pues nos faltaba la codiciada palometa.

Nuestra sorpresa fue mayúscula cuando, al salir de la laguna, justo detrás de nuestra panga, un enorme ejemplar de esa especie se aproximó sacando su vistosa cola negra por fuera del agua, mientras se empinaba para alimentarse.

Era la última oportunidad que tocaba nuestra puerta o nuestra popa y ¡qué oportunidad!.

Fue algo increíble. En un abrir y cerrar de ojos la palometa tomó la mosca de cangrejo de velcro #2 y nadaba enganchada a la caña #10, en un intento vano por vaciar el backing del reel.

Tras largos minutos de batallar y a pesar de que filosas cabezas de coral se hallaban cerca del tippet de 12 libras, Gaspar pudo sostener 15 libras de peso entre sus manos. Finalmente, nuestro deseo de atrapar una palometa con mosca había terminado.

While sipping daiquiris on the hotel deck, Juan Pablo and Lisa Reynal load a reel in preparation for the next day's angling activities.
Entre daiquiris, Juan Pablo y Lisa Reynal se preparan para la siguiente jornada de pesca, armando un reel en la terraza del hotel.

The incredible land crab migration which takes place during the rainy season on Cozumel Island.
La increíble migración del cangrejo de tierra en la Isla de Cozumel, durante la temporada de lluvias.

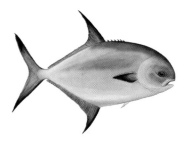

Fishing guide Gaspar Chulim reaches out with his net in order to capture a beautiful permit off Cozumel Island.
El guía de pesca Gaspar Chulim extiende la red para capturar una hermosa palometa pescada en la Isla de Cozumel.

Nassim Joaquin, a native of Cozumel, fishing inside the Rio de la Plata lagoon.
El cozumeleño Nassim Joaquin pescando en la laguna del Río de la Plata.

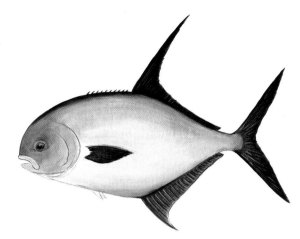

This permit was taken using a Sage 10 wt. with a Seamaster reel and 12 pound tippet with a Velcro Crab on a #4 hook tied specially for the waters of Cozumel.

Esta palometa fue capturada utilizando una Sage # 10, reel Seamaster y tippet de 12 libras, con una mosca de Cangrejo de Velcro especialmente atada en un anzuelo #4 para las aguas de Cozumel.

With the aid of his "Boga grip", Nassim raises a 14.5 pound permit.

Nassim levanta con el "Boga grip" una palometa que registra 14.5 libras de peso.

On standby while the angler awaits the chance to cast at another permit.

En esta posición se aguarda la próxima oportunidad de lanzarle a otra palometa.

Nassim fishes for permits from his vessel the "Tatich", while Gaspar Chulim, his experienced guide, masterfully push poles the panga around the north shore of the Island.
Nassim pesca palometas desde su embarcación Tatich, mientras el guía Gaspar Chulim, con años de experiencia, empuja la panga por la costa norte de la Isla de Cozumel.

Guide Nacho Euan watches from afar as the angler searches for bonefish at the entrance of Montecristo lagoon.
El guía Nacho Euan aguarda en la embarcación, mientras el mosquero se encuentra en busca de macabíes en la entrada de la laguna de Montecristo.

The rod is stretched to its limit in an effort to present the fly to a school of fast moving bones.
La caña se esfuerza para presentarle la mosca a una escuela de veloces macabíes.

A small but feisty victim of a Crazy Charlie.
Una pequeña pero poderosa víctima del Crazy Charlie.

"Crazy Charlie"

EQUIPMENT AND FLIES

Bonefish: 6 wt. to 8 wt. rods, floating lines (WFF). Reel: with a disc brake and 200 yards of 20 lb. backing. Leader: as long as possible, since the bonefish in Cozumel are easily spooked, due to the very shallow waters - 12 ft would be long enough. Flies: Crazy Charlie in coffee and gold or black and olive. Mainly, Gotcha, Bonefish Bitters, Fleeing Crab or Bonefish Special, on #6 to #8 hooks.

Snook and Tarpon: 7 wt. to 10 wt. rods, floating line (WFF). Reel: with a disc brake and 200 yards of 20 lb. backing. Leader: 9 ft with 16 or 20 lb. class tippet and 50 lb. (hard) shock tippet. Flies: Purple Death, Cockroach, Lefty's Deceiver on 1/0 - 3/0 hooks.

Permit: 8 wt. to 10 wt. rod. Floating line (WWF). Reel: large arbor for 250 yards of 20 lb. backing. Leader: 9-12 ft, long with a 12-20 lb. tippet. Flies: Del's Merkin, Velcro Crab, Jack Mantis Shrimp or McCrab on #2 hooks to 1/0.

Sunset on Montecristo lagoon; soon the bonefish will start tailing.
Atardecer en la laguna de Montecristo. Muy pronto el macabí empezará a "colear".

To capture bonefish in the Cozumel lagoons, the suggested weapon is an 8 wt. rod.
Para la captura de macabíes en las lagunas de Cozumel, el arma sugerida es una caña #8.

EQUIPOS Y MOSCAS

Macabí: *Cañas #6 a #8, líneas de flote (WFF). Reel con freno de disco y backing de 200 yardas de 20 libras. Leader: tan largo como puedan ya que el macabí en Cozumel por habitar en aguas tan bajas suele ser muy cauteloso, 12 pies es una medida adecuada. Moscas: Crazy Charlie en colores café y dorado o negro y oliva principalmente, Gotcha, Bonefish Bitters, Fleeing Crab, Bonefish Special, en anzuelos del #8 al #6 principalmente y deben ser moscas ligeramente pesadas o sin peso alguno.*

Róbalo y sábalo: *Caña de #7 a #10, línea de flote (WFF). Reel con freno de disco y backing de 200 yardas de 20 libras. Leader de 9 pies con class tippet de 16 o de 20 libras y shock tippet de 50 lbs. (Hard). Moscas: Purple Death, Cockroach, Lefty´s Deceiver en anzuelos 1/0 a 3/0.*

Palometa: *Cañas #8 a #10. Línea de flote (WFF). Un reel con capacidad para 250 yardas de backing de 20 libras. Leader de 9-12 pies de largo con un tippet de 12 a 20 libras. Moscas: Del's Merkin, cangrejo de velcro, Jack´ Mantis Shrimp, Mc Crab en anzuelos #2 a 1/0.*

Boca Paila
Fishing Lodge

"Flexo Crab"

By/Por Daniel Beilinson

Ever since the Boca Paila Lodge, situated within the Sian Ka'an Biosphere Reserve, was founded by the González family in 1964, it has gained a solid international reputation.

This tourism complex which offers all the amenities and services to its guests, provides access to an ideal fly fishing area.

Much of the reserve is made up of salt water lagoons, fed by fresh waters which come from rainfall and natural springs. As in the rest of the reserve the vegetation consists mainly of mangroves. The external coastline, which faces the Caribbean, is covered by white sand beaches which lay opposite to the same Mayan coral reef which runs all the way to Belize. In Boca Paila one can find one of the largest permit populations anywhere in the Mexican Caribbean. There are also large populations of bonefish, tarpon, and snook as well as sea bream, and barracudas.

The lodge, built very close to the beach, can host 20 fishermen in comfortable and renovated rooms. It also has 10 Dolphin craft and an equal number of experienced guides. Fishing takes place in the interior lagoons and the interconnecting channels.

The most prized trophy in Boca Paila is the permit, which can be caught all year round in the Sian Ka'an Reserve. Catching this most elusive fish requires a good level of casting, speed and precision, as well as the appropriate fly. The

Desde que fue fundado por la familia González en 1964, el lodge Boca Paila, dentro de la reserva protegida de Sian Ka'an, ha logrado un sólido prestigio internacional.

Este complejo turístico, que ofrece todas las facilidades y servicios para los huéspedes, permite acceder a una zona ideal para la pesca con mosca.

Gran parte de la superficie de la reserva está cubierta por lagunas de agua salada que se juntan con el agua dulce proveniente de las lluvias y de los cenotes (vertientes naturales). Como en el resto de la reserva, la vegetación predominante es el mangle. La costa exterior que da al Caribe está cubierta de arena blanca y en su frente tiene el mismo arrecife Maya que se extiende hasta Belice.

Boca Paila posee una de las mayores poblaciones de palometa del caribe mexicano, tiene también grandes reservas de macabíes, sábalo y róbalo, además de jacks, pargos y barracudas.

El lodge, construido muy cerca de la playa, tiene capacidad para alojar a veinte pescadores en habitaciones confortables y renovadas. Posee diez embarcaciones Dolphin con motor fuera de borda y el mismo número de experimentados guías. La pesca se realiza en las lagunas interiores y en los canales que las vinculan.

La pieza más codiciada de Boca Paila es la palometa, que se encuentra durante todo el año en las lagunas al norte de Sian Ka'an. La pesca de esta especie muy escurridiza requiere de un buen nivel de casteo, rapidez y mucha precisión, además de tener la mosca adecuada. La palometa se traslada en escuelas, con la excepción de los ejemplares de

mayor porte, que suelen andar en soledad.

Habitualmente se alimenta de cangrejos, camarones y otros crustáceos. Se las encuentra comiendo en círculos con sus aletas dorsales fuera de la superficie del agua, o bien nadando a gran velocidad, cambiando de dirección en forma errática y dejando una gran estela de aguas nerviosas a su paso.

Durante nuestra última jornada de pesca, después de varios exitosos días en las lagunas de Boca Paila, tuve la suerte de vivir un sueño como pescador.

Eran las 3 de la tarde de un día soleado y caluroso en la zona de Lágrimas, cuando Eduardo Gómez, mi guía, me la señaló: "30 yardas a las 12:00", me dijo, refiriéndose a la ubicación del pez respecto de la embarcación. Pero yo no la vi. Tuvo que indicarme dos veces más para que la distinguiera del fondo.

La palometa estaba comiendo, a unos seis o siete pies de profundidad, y no reparaba

permit moves about in schools, with the exception of the largest specimens, which tend to travel alone.

Their diet consists mainly of crabs, shrimps and other crustaceans. They feed in circles with their dorsal fins protruding above the surface, or else moving at great speed, changing direction abruptly and in doing so leaving nervous waters in their wake.

During our last fishing outing, after several successful days in the Boca Paila lagoons, I had the opportunity of experiencing an anglers dream. It was 3 pm., the day was sunny and warm, and we were in the Lágrimas area when Eduardo Gómez, my guide, said to me: "30 yards at 12 o'clock", indicating the position of the fish with respect to the boat. But I couldn't see it. He had to point it out to me twice, before I was able to distinguish it from the bottom.

A most welcome sign after a long day of fishing.
Después de un largo día de pesca, un cartel muy bienvenido.

The comfortable and luxurious bungalows of Boca Paila fishing lodge can host up to 18 guests.
Los confortables y lujosos bungalows del campo de pesca Boca Paila albergan hasta 18 huéspedes.

The permit was feeding some 6 - 8 feet down, oblivious to our presence. The boat was at the right distance for a cast and Eduardo asked me to get ready. I checked the leader, the fly and the knot.

So as not to spook the fish, I let go of a short cast, I then rapidly stripped in my line and casted again. The fly landed perfectly just ahead of the permit, which promptly lunged forward to take it.

Those few seconds seemed to last forever, until I felt I had it. The slight pull of its weight confirmed my suspicion, so I tugged the line firmly in order to hook it well and secure it. The permit, knowing that it was caught, took off, and with it as much as 90 to 100 yards of line and backing at once. After several runs in one direction then another, causing my 10 wt. rod to bend as far as it could go, it suddenly anchored down with the aid of its powerful tail and flattened body.

At that moment I doubted whether my fly and the 12 lb. tippet would hold, but I was finally able to quickly reel in the fish and take hold of its tail. A beautiful 8 lb. specimen was now safely in my grasp. As I had already captured several bonefish during the morning, so I headed off in search of a tarpon in

en otra cosa que en su alimento. El bote estaba a distancia de casteo y Eduardo me pidió que me prepare. Revisé el leader, la mosca y el nudo.

Para no asustar a mi presa, lancé un tiro que quedó corto, recogí rápidamente y lancé de nuevo. La mosca cayó perfecta delante de la palometa, que se avalanzó para capturarla.

Esos segundos se hicieron eternos hasta que sentí que la tenía. La leve presión de su peso fue suficiente para confirmarlo. Entonces, jalé firme de la línea para clavarla bien y asegurarla. La palometa, al sentirse asida, comenzó a correr y sacar metros de línea y backing, tal vez unas 90 ó 100 yardas de una vez. Luego de varias corridas en una y otra dirección flexionando mi caña #10 al máximo se plantó, apoyada por su poderosa cola y cuerpo aplanado.

En ese instante dudé si el nudo en la mosca y el tippet de 12 libras resistirían. Al fin pude acercarla lo suficiente y tomarla rápidamente de su cola. Una bellísima pieza de unas 8 libras estaba en mis manos y como ya había capturado varios macabíes durante la mañana, salí en busca del sábalo para completar el Grand Slam.

order to complete the Grand Slam.

After 10 relaxing minutes of navigation, we arrived at the Freight Train Pass, a channel well known for the abundance of these powerful prehistoric fish.

I prepared my equipment and started to cast. I placed a Purple Death 3/0 against the mangroves and immediately felt a tug followed by a surprising leap. A tarpon of well over 20 lbs. broke the surface and I dreamt of completing my feat.

Unfortunately, when it leaped a second time, it was able to break free from my fly. Anxious to get a second shot, I quickly brought in my line, checked my gear and proceeded to cast again into the same spot. I allowed my Intermediate line to sink and then began stripping it. Instantly my line tensed and was pulled out at great speed. I waited for the leap which never came. Eduardo thought it might be a large jack. I believed it to be a barracuda.

After several minutes of battle, to our surprise, the silvery body and tail of a permit surfaced. Somehow I had fooled this witty fish with a tarpon fly! It was the largest I had caught in six weeks fishing in the Mexican Caribbean, and it

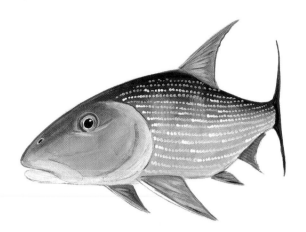

Después de diez minutos de tranquila navegación, llegamos a Freight Train Pass, un canal reconocido por la abundancia de estos poderosos peces prehistóricos.

Preparé mi equipo para comenzar a lanzar. Coloqué una Purple Death 3/0 contra el mangle e inmediatamente sentí un tirón seguido de un salto sorprendente. Un sábalo, que ampliamente superaba las 20 libras, perforaba la superficie y yo soñaba con completar mi hazaña.

Lamentablemente, cuando emergió del agua por segunda vez, logró desprenderse de mi mosca. Con la ansiedad de volver a clavar otro y lograrlo, recogí todo rápidamente, revisé mi equipo y lancé al mismo lugar.

Dejé que mi línea Intermediate se hundiera y comencé a recoger. En forma instantánea la línea se tensó y fue arrastrada a gran velocidad. Esperaba el salto que nunca llegó. Eduardo creyó que era un gran jurel. Yo, una barracuda.

Después de varios minutos de pelea, para sorpresa de ambos, un cuerpo plateado y una cola de palometa se asomaron fuera del agua. ¡Había engañado a esa habilidosa pieza con una mosca de sábalo! Fue la más grande después de seis semanas de pesca en

Relaxing on the lodge's private beach is the ideal complement to your day's fishing.
Relajarse en la playa privada del lodge es el complemento ideal de una jornada de pesca

put up a solid half an hour fight and weighed 20 lbs!

During our marvelous trip to Boca Paila, besides the already mentioned permits, my fishing partner Juan Pablo caught another weighing 17 lbs. Between all of us, including Lisa who experienced her first salt water fly fishing trip, we were able to bag dozens of bonefish, a few barracuda, sea breams and two snook. We parted happily and satisfied with the generous outcome. Without a doubt, this renowned lodge lived up to its prestigious reputation.

el Caribe Mexicano, media hora de lucha y ¡20 libras de peso!

Durante nuestro maravilloso viaje a Boca Paila, además de las palometas mencionadas, mi compañero de pesca, Juan Pablo, capturó otra de 17 libras. Entre todos, con Lisa, quien experimentó su primer viaje de pesca en aguas saladas, obtuvimos decenas de macabíes, algunas barracudas y pargos, y dos róbalos. Todos nos fuimos felices y satisfechos por los bondadosos resultados. Sin lugar a dudas, este reconocido lodge le hizo honor a su merecido prestigio.

A modern 10 boat Dolphin fleet awaits the anglers.
Una flota de 10 modernas embarcaciones Dolphin aguarda a los pescadores.

Lisa Reynal gets ready to land a bonefish while her guide
Alfonso Moo Martín keeps a sharp eye on the prize.
*Lisa Reynal acerca un macabí a la embarcación mientras que su guía
Alfonso Moo Martín no le quita los ojos a la presa.*

The Lagrimas area is excellent for going after bones.
La zona de Lágrimas es excelente para la pesca de macabíes.

Daniel Beilinson takes advantage of a few minutes of relaxation and checks out how Lisa and Juan Pablo Reynal resolve equipment problems with their guide.

Daniel Beilinson aprovecha unos minutos de relax para apreciar como Lisa y Juan Pablo Reynal resuelven, gracias a su guía, un problema con el equipo.

The second permit of the day was much bigger, 20 pounds! And surprisingly it took a tarpon fly, the mythical Black Death.
La segunda palometa del día fue mucho más grande ¡20 libras! Asombrosamente, tomó una mosca de sábalo, la famosa Black Death.

This beautiful specimen was taken on a #2 Rag Head Crab and was the first of two permits caught by Daniel on that same day.
Este bellísimo ejemplar tomó una Rag Head Crab atada en un anzuelo #2 y fue la primera de dos palometas capturadas por Daniel durante ese día.

Another beautiful 7 pound permit taken in the early hours of the morning.
Otra bellísima palometa de 7 libras pescada durante las primeras horas del día.

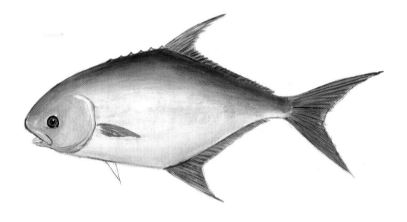

An 8 pound permit taken in the Lagrimas area.
Una palometa de 8 libras capturada en la zona de Lágrimas.

The Campechen Lagoon.
La laguna de Campechen.

Expert guide Eduardo Gomez, who has more than 20 years experience, observes how his client reels in a bone.

El experto guía Eduardo Gómez, que cuenta con más de 20 años de experiencia, observa cómo su cliente acerca un macabí a la embarcación.

Most bonefish taken in Boca Paila weigh between 3 to 5 pounds. The world record is a 19 pounder caught in Zululand, South Africa.

La mayoría de los macabíes pescados en Boca Paila pesan entre 3 y 5 libras, el récord mundial es un ejemplar de 19 libras y fue capturado en Zululand, Sudáfrica.

Radiant smiles on the faces of both fly fishermen after landing another permit in the waters of Campechen Lagoon.

Los mosqueros sonríen generosamente ante la captura de otra palometa, en las aguas de la laguna Campechen.

Juan Pablo Reynal shows off a 17 lb. permit. This magnificent fish was taken after putting up a 30 minute fight, which began with a precise 50 foot cast.

Juan Pablo Reynal muestra una palometa de 17 libras. Este fantástico ejemplar fue capturado luego de dar pelea por 30 minutos. Todo había comenzado con un tiro exacto de 50 pies.

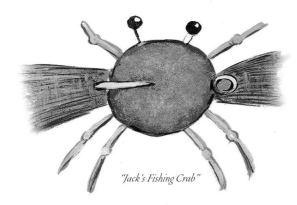

"Jack's Fishing Crab"

EQUIPMENT AND FLIES

Bonefish: 8 wt. rod, floating line (WFF), reel with a good disc brake with 150 yards of 20lb. backing. Leader: 9-10 ft. with 8-10 lb. tippet. Flies: Crazy Charlie, Shrimp pattern, Bonefish Bitters, and Mini Crystal Shrimp in pink, white, tan and brown on #6 and #8 hooks.

Permit: 9 wt. or 10 wt. rod, floating line (WFF), reel with a good disc brake with 200 - 250 yards of 20 − 30 lb. backing. 9 or 10 ft. leader and 12 − 20 lb. tippet. Flies: Rag Head Crab, Del's Merkin Crab, Secret Brown, Fuzzy Crab, in tan or brown, on #2 and #4 hook.

Tarpon and Snook: 10 wt. rod, floating line (WFF) or Intermediate, reel with a good disc brake with 200 - 300 yards of backing. 16 lb. "Bimini Twist" type leader and 60 lb. (hard) shock tippet for tarpon and 9 ft. leader and 40 lb. shock tippet for snook. Flies: Deceiver or Seaducer type, Purple Death, Black Death, Cockroach, Tropical Punch or Lefty's Deceiver on 2/0 3/0 or 4/0 hook.

The eyes of a crocodile break the surface, while another great day comes to a close in Boca Paila lagoon.
Los ojos de un cocodrilo asoman intrigantes, mientras concluye otro gran día de pesca en la laguna Boca Paila.

A Postcard of Boca Paila: smiles and large fish.
Una postal de Boca Paila: sonrisas y grandes peces.

EQUIPOS Y MOSCAS

Macabí: caña #8, línea de flote (WFF), reel con buen freno de disco con 150 yardas de backing de 20 libras. Leader de 9 o 10 pies con tippet de 8 a 10 libras, las moscas Crazy Charly, Shrimp Pattern, Bonefish Bitters, Mini Kristal Shrimp en colores pink, blanco, tan y marrón con ojos no muy lastrados y anzuelo #6 y #8.

Palometa: caña #9 o #10, línea de flote (WFF), reel con buen freno de disco con 200 a 250 yardas de backing de 20 o 30 libras, leader de 9 o 10 pies y tippet de 12 a 20 libras. Moscas tipo cangrejo Rag Head Crab, Del's Merkin, Secret Brown, Fuzzy Crab color tan o marrón anzuelo #2 y #4.

Sábalo y robalo: caña #10, línea de flote (WFF) o Intermediate, reel con buen freno de disco con 200 a 300 yardas de backing, leader tipo "Bimini Twist" de 16 libras y shock tippet de 60 libras (hard) para sábalo y leader de 9 pies y shock tippet de 40 libras para róbalo. Moscas tipo Deceiver o Seducer. Purple Death, Black Death, Cockroach, Tropical Punch o Lefty´s Deceiver en anzuelos 2/0; 3/0 o 4/0.

CASA BLANCA LODGE
BAHÍA DE LA ASCENCIÓN

By/Por Juan Pablo Reynal

"Deceiver Black / Yellow / Red"

If there ever was a place that defined the beauty of the Mexican Caribbean and offered the possibility of spending some unforgettable fishing days, it would have to be Casa Blanca lodge, located in Punta Pajaros at the southern entrance to Ascension Bay.

The lodge was built in a remote location surrounded by extraordinary beauty, next to a calm bay, mangrove lined lagoons, never ending white sand beaches and palm trees.

To get to Casa Blanca you have to take a 45 minute charter flight from Cancun, which is provided by the lodge. During the flight you are sure to find yourself falling in love with the transparent waters, the white coasts and the dense jungles that make up the unique scenery of the Mayan Riviera.

The overwhelming feeling upon arriving in Casa Blanca is that of being far away from civilization. Nevertheless, upon entering the 10 bright, comfortable, rooms in the lodge, you realize that being miles away does not necessarily mean giving up on 5 star accommodation or the exquisite delicacies of Mexican Caribbean cuisine.

During our fishing days in Casa Blanca we caught all the species we desired, whilst also discovering a marvelous, wild environment.

Si existiera una síntesis de las bellezas del Caribe Mexicano y de las posibilidades de pasar unos días inolvidables de pesca, el lugar sería Casa Blanca, ubicado en Punta Pájaros, en la puerta sur de la Bahía de la Ascensión.

El lodge fue construido en un área solitaria y rodeada de una extraordinaria belleza, con bahías, lagunas enmarcadas por extensos mangles, playas interminables de arena blanca y nobles palmeras por doquier.

Para llegar a este lugar se requiere de un vuelo charter, dispuesto por el mismo complejo, que desde Cancún sólo tarda 45 minutos y que permite empezar a enamorarse, desde el aire, del paisaje sin igual que conforman las aguas transparentes, las costas blancas y la densa jungla de la Riviera Maya.

La sensación de los huéspedes al llegar a Casa Blanca es la de encontrarse en un sitio remoto, completamente alejado de la civilización. Sin embargo, cuando ingresan a las 10 confortables y luminosas habitaciones del lodge descubren que estar lejos no significa privarse de los servicios de la hotelería internacional o de las exquiseces gastronómicas del Caribe Mexicano.

Durante nuestros días de pesca en Casa Blanca capturamos cada especie que deseábamos y nos internamos en una atmósfera salvaje y atractiva.

PENÍNSULA DE YUCATÁN

MAR CARIBE

CHENCHOMAC

PLATANAL

MARABIA

VIGÍA CHICO

PUNTA ALLEN

CAYO CULEBRA

BAHÍA
DE LA
ASCENSIÓN

BAJO DE HUALAXTOC

ISLA GAYTANES

PUNTA WILSON

LAGARTIJAS

PLA. VIGÍA GRANDE

COCALITO

PISTA DE ATERRIZAJE
PUNTA PÁJAROS
CASA BLANCA LODGE

CAYO CHOBÓN

I. TRES MARÍAS

LA ESPERANZA

TRES PINOS

MOJÓN DEL TIGRE

LAGUNA SANTA ROSA

TUPAK

RESERVA BIOSFERICA DE SIAN KA'AN

N

This surrealistic setting is only a few yards from the bedrooms.
Este escenario, que desafía los sentidos, se encuentra a pocos metros de las habitaciones.

The lodge pays close attention to all details that make for a better fishing experience, like this station dedicated to rod and reel maintenance.
El lodge está atento a todos los detalles que hacen a la experiencia de pesca. Por ejemplo, este espacio dedicado al mantenimiento de las cañas y reeles.

From the air, the lodge and its distinctive dock stand out in the forefront, behind is the Santa Rosa lagoon.
Desde el aire se aprecia el lodge, con su reconocido muelle, y detrás, la laguna de Santa Rosa.

With our guides Eladio Chin Ruiz, Fernando Fernandez and Luis Hernandez we feasted on some of the best salt water angling to be had.

For our first outings we made Cayo Culebra our angling destination. We were looking for the very clever and easily spooked permits. These fish, true to their reputation, played hard to get before succumbing to the temptation of our Fuzzy Crab, Rag Heads and Del's Merkin Crabs. The waters in Cayo Culebra are up to 15 feet deep, making it an ideal place to capture some of the biggest permit in the

Con los guías Eladio Chin Ruiz, Fernando Fernández y Luis Hernández nos deleitamos con una pesca generosa y atrapante.

Nuestras primeras incursiones fueron hacia Cayo Culebra donde nos concentramos en las escurridizas y perceptivas palometas, que fieles a su condición, se hicieron desear antes de tentarse con los Fuzzy Crab, Rag Head y Del's Merkin Crabs que les presentamos. La profundidad de las aguas de este lugar, de entre 4 y 15 pies, es ideal para la captura de los grandes ejemplares de esta especie, además de los únicos sábalos

Every morning at 8:00 fly fishermen depart from this location hoping that their dreams will come true.
Desde este sitio, todas las mañanas a las 8:00 los mosqueros parten en busca de sus sueños.

region, not to mention the only giant tarpons to be found in the Bay.

The next fishing excursion took us to an area known as the Hulaxtoc flats, ten minutes away from the lodge, and then on to Lagartijas, a further 20 minutes by boat. These locations, known to be some of the best for bone fishing, certainly lived up to their reputation.

At our first location, a flat situated in what appeared to be the middle of the ocean, we hooked on to some occasional cruising bones. But the best fishing was awaiting us in Lagartijas. Upon arrival, our guide Eladio positioned the boat some 150 feet away from the southern shore of the island, near the mouth of a river. Meanwhile Steve Spencer, manager of the lodge, and I prepared our 8 weight rods and tied Clauser Minnows and Petersen Spawning Shrimps on # 4 hooks. After

gigantes de esta region.

La siguiente salida de pesca nos llevó a la zona de los bajos de Hualaxtoc, a diez minutos del lodge, y luego a Lagartijas, otros 20 minutos más de navegación. Ninguno de estos lugares, reconocidos como los mejores para la pesca de los macabíes, nos decepcionaron.

En el primer ambiente, un bajo ubicado en lo que asomaba como la mitad del mar, tuvimos suerte casteando a ocasionales escuelas de macabíes, pero el plato fuerte del día apareció en Lagartijas. Allí, nuestro guía Eladio posicionó el bote a unos 50 metros de la costa sur de la isla, cerca de la entrada de un canal, mientras que Steve Spencer, el manager del lodge, y yo preparamos nuestras cañas #8, atando Clauser Minnows y Petersen Spawning Shrimp en anzuelos #4. El resultado: un festival de macabíes de

all was said and done, we had landed more than 10 bones in one glorious hour.

One of the most remarkable experiences of our stay in Casa Blanca was entering the Santa Rosa lagoon. Once inside we navigated towards the heart of the lagoon, where the best tarpon fishing is to be found. To reach the honey hole, we cruised for more than an hour and a half through a maze of lagoons interconnected by Mayan built canals. The amazing passageways inside the lagoon date back centuries and were vital to the ancient inhabitants of the area.

I was sharing a boat with Eric Carvalho, another manager at the lodge, and

entre 2 y 4 libras. En total, fueron más de 10 en sólo una hora de trabajo

Una de las aventuras más impactantes de nuestra estadía en Casa Blanca fue la experiencia de penetrar la laguna Santa Rosa. Para llegar hasta el corazón de ese lugar, donde se encontraba la mejor pesca de sábalos, navegamos durante una hora y media a través de lagunas interconectadas por canales que los mayas construyeron con laboriosidad para su supervivencia.

Yo me encontraba en una embarcación pescando con Eric Carvalho, otro de los responsables del lodge, y nuestro guía Luis Hernández, mientras que Daniel Beilinson,

"Peterson's Spawning"

The walk to the boats is short but filled with anticipation
La caminata hacia los botes es corta y llena de ansiedad.

our guide Luis Hernandez. On the other Dolphin were Daniel Beilinson and his guide Fernando Fernandez.

It was Eric who managed the first catch of the day, landing a powerful 8 pound barracuda just as the fishing got underway. But Daniel and I saved the best for last with the over 10 pound tarpons we caught as the day came to an end. The recipe for these catches was a 10 wt. Sage rod, with Blue and White Deceiver and Purple Death patterns tied on 4/o hooks. Without a doubt our angling experience in this area was complete. We proved that from Casa Blanca you can find an exclusive fishing habitat for each of the Grand Slam species.

This lodge, one of the first founded in the Yucatan Peninsula was, and still is, the preferred destination of discerning fly fishermen. Even though they might have tried different Caribbean locations, experienced anglers return year after year to this mythical fishing ground.

estaba en el otro Dolphin con su guía Fernando Fernández.

Fue Eric quien logró la primera captura al obtener una poderosa barracuda de 8 libras, a poco de iniciar la pesca, pero lo mejor del día fueron los sábalos de más de 10 libras que Daniel y yo logramos sorprender durante la tarde. La receta para esos peces fue utilizar una caña Sage #10, con moscas Blue and White Deceiver y una Purple Death, ambas en anzuelos #4/o.

Sin duda, nuestra experiencia de pesca en esta zona fue completa. Comprobamos que desde Casa Blanca se puede encontrar un ambiente exclusivo para cada especie.

Este lodge, uno de los primeros fundados en la Península de Yucatán, fue y sigue siendo el lugar preferido por aquellos selectivos mosqueros de agua salada. Aunque hayan recorrido otros ambientes del Caribe, año tras año los mosqueros vuelven para reencontrarse con este mítico campo de pesca.

A cast towards a passing snook near Cayo Chobon.
Un tiro hacia un róbalo solitario cerca de Cayo Chobon.

Daniel Beilinson double-hauls and launches a cast while standing on
the comfortable platform of a 16 foot Dolphin flats skiff.
*Parado en la amplia plataforma de un Dolphin flatts skiff de 16 pies, Daniel
Beilinson lanza un cast utilizando la técnica del double-haul.*

Experienced guide Fernando Fernandez points to a school of permits
while push poling inside La Esperanza.
*El experimentado guía Fernando Fernández, apunta hacia una escuela de palometas
mientras maniobra el bote en la zona de La Esperanza.*

The tarpon or Megalops Atlanticus is a slow grower, reaching maturity between 7 and 13 years of age. The world record is a 283 pounder caught in Sierra Leone.
El sábalo o Megalops Atlanticus es un pez de lento crecimiento que madura entre los 7 y 13 años. El récord mundial es de 283 libras y fue capturado en Sierra León.

A 10 pound baby tarpon jumps for freedom inside Santa Rosa lagoon.
En la laguna de Santa Rosa, un sábalo de 10 libras salta en un intento de liberarse.

White sand bottoms make for spectacular sight fishing.
Fondos de arena blanca permiten observar los macabíes con sorprendente claridad.

Eric Carvalho shows off an eight pound barracuda caught
inside Santa Rosa with a 4/0 Purple Death fly.
*Eric Carvalho muestra una barracuda de 8 libras capturada dentro
de la laguna de Santa Rosa con una mosca Purple Death 4/0.*

Daniel and a 9 lb. permit caught and released. Equipment used: 10 wt. rod and a
Brown Special Crab tied to a 12 lb. line.
*Daniel y una palometa de 9 libras capturada y luego devuelta al agua. Equipamiento
utilizado: caña #10 con una Brown Special Crab atada a una línea de 12 libras.*

Lester, the casting pro at Casa Blanca, lets it fly in search of permits. Cayo Culebra.
Lester, el profesor de casteo en Casa Blanca, lanza en busca de palometas. Cayo Culebra.

Casa Blanca has its own runway and airplane.
Casa Blanca tiene avión y pista propia.

Aerial view of Cayo Culebra.
Vista aérea de Cayo Culebra.

The traditional guides' casting tournament; winner takes all.
El tradicional torneo de cast para los guías; el ganador se lleva todos los laureles.

One last cast. The sun sets between the palm trees in Casa Blanca.
Ultimo tiro. El sol se esconde entre las palmeras en Casa Blanca.

EQUIPMENT AND FLIES

Bonefish: 7 or 8 wt. rod, floating line (WWF). Leader: 9-10 ft. with 8-10 lb. tippet. Flies: Clouser Minnows in pink or tan, Petersen Spawning Shrimp, Augustine Shrimp (Local Guide) in white or tan and gray with white, all on # 4 or #6 hooks.

Permit: 9 wt. or 10 wt. rod, floating line (WFF). Leader: 9 or 10 ft. with 20 lb. tippet. Flies: Rag Head Crab, Del's Merkin Crab, Tan Ultra Shrimp, Fuzzy Crab, on #2 or #4 hooks.

Tarpon: 10 wt. rod, floating line (WFF) or Intermediate. Leader: 16 lbs. "Bimini Twist" with 40/60 lb. (hard) shock tippet. Flies: Cockroach, Black Death, Purple Death, on 2/0 3/0 or 4/0 hooks.

Snook: 8 wt. rod, floating line (WFF) or Intermediate. Leader: 6 to 8 feet with 40 to 60 lb. (hard) shock tippet. Flies: Seaducer or Deceiver in orange and yellow, red and white or purple and black on 2/0 3/0 hooks.

Juan Pablo and Steve with a double hook-up near Lagartijas Island.
Juan Pablo y Steve con un doble enganche, cerca de la Isla de Lagartijas.

EQUIPOS Y MOSCAS

Macabí: caña #7 o #8, línea de flote (WFF), leader de 9 ó 10 pies con tippet de 8 a 10 libras, las moscas Clouser Minnow blanco, rosa o tan, Petersen Spawning Shrimp , Agustine Shrimp (guia local) blanco, tan y gris con blanco, en anzuelos #4 o #6.

Palometa: caña #9 o #10, línea de flote (WFF), leader de 9 o 10 pies con tippet de 20 libras. Moscas tipo cangrejo Rag Head Crab, Del´s Merkin, Fuzzy Crab, Tan Ultra Shrimp en anzuelos #2 o #4.

Sábalo: caña #10, línea de flote (WFF) o Intermediate, leader tipo "Bimini Twist" 16 libras y shock tippet de 40/60 libras (hard). Las moscas Cockroach, Black Death, Purple Death en anzuelos 2/0, 3/0 o 4/0.

Róbalo: caña #8, línea de flote (WFF) o Intermediate, reel con buen sistema de frenos a disco y 250 yardas de backing. Leader de 6 a 8 pies y shock tippet de 40 a 60 libras (hard). Moscas modelo Seaducer o Deceiver en colores naranja y amarillo, rojo y blanco, violeta y negro atadas en anzuelo 2/0 y 3/0.

Steve Spencer dips into his tackle box for his favorite all round fly: the Clouser Minnow.
Steve Spencer busca en su cajita para seleccionar su mosca preferida: la versátil Clouser Minnow

PLAYA BLANCA LODGE
BAHÍA DEL ESPÍRITU SANTO

By/Por Juan Pablo Reynal

"Mousan Shrimp"

Sian Ka'an: "Birthplace of the sky." This is how the Mayan culture baptized the generous land of the Espiritu Santo Bay, which along with Ascension Bay makes up the largest protected reserve of the Mexican Caribbean.

This 1.310.000 acre biological treasure is comprised mostly of salt water and marsh lands. The terrain elevations are slight. The predominant vegetation is the mangrove and the interior lagoons are connected by canals. From this area a 69 mile coral reef extends southward all the way to Belize.

Playa Blanca lodge and its stunning ocean views are located between the Ascension and Espiritu Santo Bays. A short distance from the resort, ancient Mayans (900 A.C.) would gather in the temple of Tupac. Today, anglers from all over the world travel to this holy land and thank the Mayan god Itzamma for the blessing they encounter at sea.

The reason for this is that spread inside the flats and lagoons of the Bay and attracted by the bountiful quantities of food in the waters, an abundance of game fish such as the permit, tarpon, bonefish and snook reproduce and prosper.

In Bahia Ensenada where the ocean has a crystal clear sandy and algae bottom and the lukewarm morning breeze soothes the spirit. It was here I experienced

Sian Ka'an: "donde nace el cielo". Así bautizó la cultura maya a la generosa tierra de Bahía del Espíritu Santo, que con la Bahía de la Ascensión es la mayor reserva protegida del Caribe Mexicano.

Este tesoro biológico tiene 530.000 hectáreas, superficie cubierta en gran parte por agua salada y marismas. Las elevaciones del terreno son pequeñas y las lagunas interiores se comunican por canales. La vegetación predominante es el mangle, que se prodiga entre arbustos, juncos y petenes.

Desde allí, una barrera de coral de 110 kilómetros de largo hacia el sur, llega hasta Belice.

Entre las bahías de la Ascensión y Espíritu Santo, está ubicado el lodge Playa Blanca, sobre un camino con una apacible vista al mar. A poca distancia de este lugar, los antiguos mayas, 900 años A.C., se reunían en el templo de Tupac. Hoy en día, pescadores de todo el mundo llegan a esta zona sagrada y agradecen al dios maya Itzamma las bendiciones que encuentran en el mar.

Es que dispersos en las lagunas y bajíos de las bahías y atraídos por la gran cantidad de alimentos en esta zona, se reproducen en abundancia peces de gran valor deportivo como el macabí, palometa, sábalo y róbalo.

En la Bahía Ensenada, donde el mar tiene un fondo cristalino de arena y algas y la

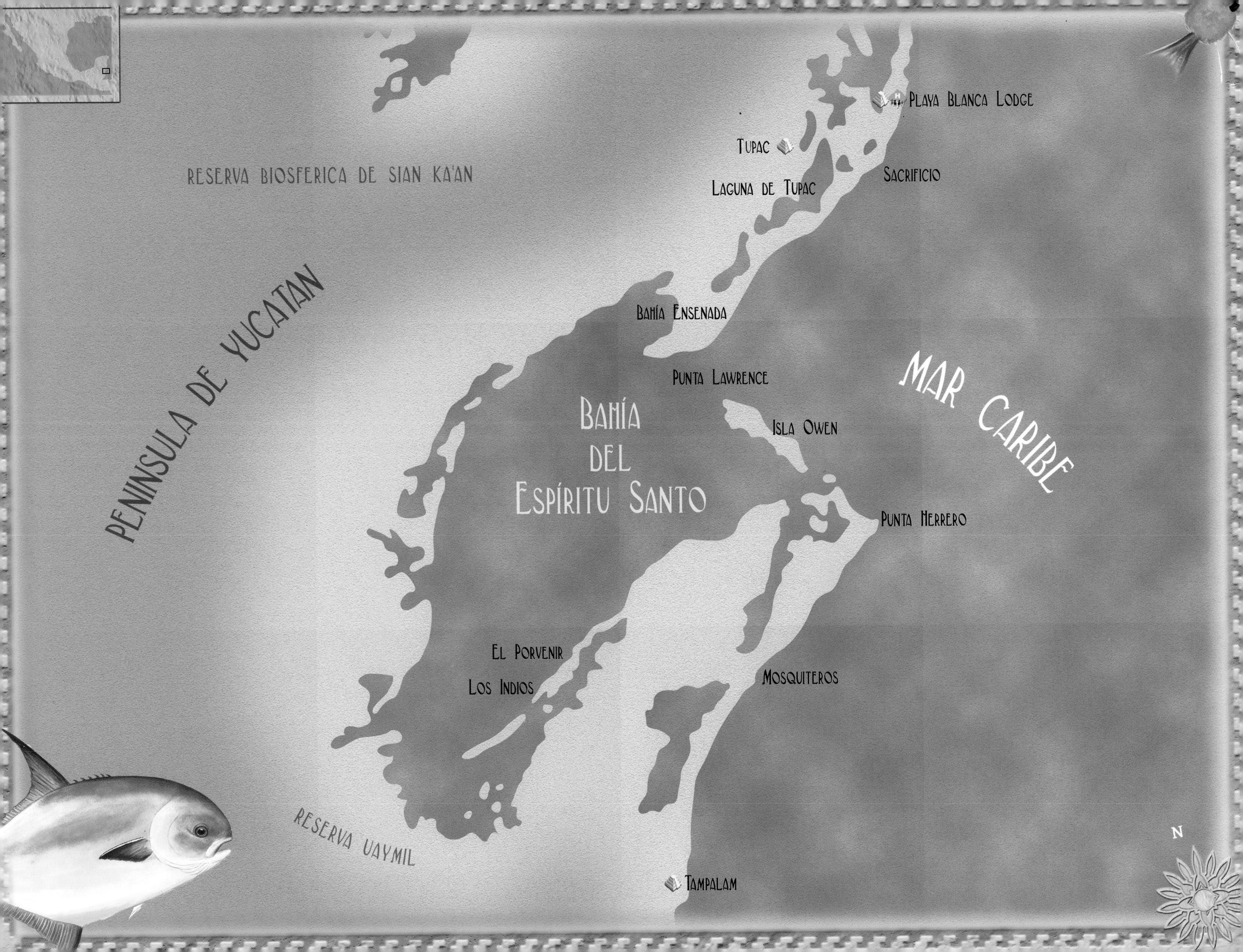

RESERVA BIOSFERICA DE SIAN KA'AN

PENINSULA DE YUCATAN

Playa Blanca Lodge

Tupac

Sacrificio

Laguna de Tupac

Bahía Ensenada

Punta Lawrence

MAR CARIBE

BAHÍA DEL ESPÍRITU SANTO

Isla Owen

Punta Herrero

El Porvenir

Los Indios

Mosquiteros

RESERVA UAYMIL

Tampalam

N

An inside view of one of the 5 bungalows at Playa Blanca. The resort also has a suite and "Casa Redonda" which can host up to 4 guests.
Interior de uno de los cinco bungalows de Playa Blanca. El resort tiene también una suite y la "Casa Redonda", con capacidad para alojar hasta cuatro huéspedes.

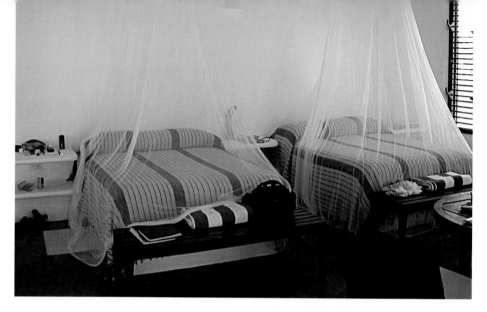

salt water fly fishing for the first time. I, being accustomed to the cold and mountainous landscape of the Argentine Patagonia, was now faced with this serene setting lined with a blue horizon and nestled in tropical waters. No waders, no coats, just a light shirt and a persistent sun shining on my forehead.

With our guides Tacon Ayuso and Jorge Angulo I was aching to challenge the bonefish and find out whether all the stories about their strength were fact or fiction.

After a 30 minute ride, we disembarked near the flats and began wading. I walked slowly on the firm, soft bottom, with the pleasant sensation of that transparent water up to my knees, and then I patiently waited for the guide to point my cast in the right direction. On account of their experience, the guides can spot bonefish 100 yards away.

We saw some bones swimming in schools and others alone. I tossed my line towards the path of a group that crossed within 90 feet, no luck. It was a matter of intercepting their trajectory, calculating their next move; this kind of fishing

The picturesque club house gallery.
La pintoresca galería del club house.

tibia brisa de la mañana alienta el espíritu, viví por primera vez la experiencia de la pesca con mosca en agua salada. Yo, que estaba acostumbrado al frío y al paisaje de montaña de la Patagonia Argentina, ahora tenía este sereno escenario, de horizonte celeste y aguas cálidas. Sin waders ni abrigo, sino con ropa liviana y un insistente sol sobre mi frente.

Con Tacon Ayuso y Jorge Angulo, nuestros guías, quería desafiar a los macabíes y comprobar si era cierta la fuerza y la resistencia, de la que tanto había oído hablar.

Después de 30 minutos en la embarcación, cerca de los bajíos, descendimos para vadear. Caminé lentamente sobre ese suelo suave y firme, con la agradable sensación del agua transparente hasta mis rodillas, y esperé, paciente, que el guía me dijera hacia qué dirección tirar. Por su experiencia, ellos podían distinguirlos a simple vista a más de cien metros de distancia de donde estábamos.

Vimos macabíes en escuelas y a otros solitarios que se acercaban. Yo arrojé, sin suerte, hacia el fugaz paso de un macabí que se había asomado a unos 30 metros de distancia.

Era cuestión de interceptar la trayectoria de estos peces, de calcular muy bien sus movimientos, lo que me imponía dejar de lado la técnica y mis conocimientos de pescador de

Aerial view of the lodge; to the right is the Mayan temple of Chac Mool, and behind is the Santa Rosa lagoon.
Vista aérea del lodge: a la izquierda el templo Maya de Chac Mool. Detrás, la laguna de Santa Rosa.

The excellent service at Playa Blanca includes the après fishing snack, delicately presented by Simon, the lodge's very professional head waiter.
El excelente servicio en Playa Blanca incluye el copetín après pesca, presentado delicadamente por Simón, el maitre muy profesional del lodge.

forced me to leave behind all my previously learned trout techniques.

When the guide pointed out another school of bones I tossed a precise cast and my fly landed right in front of them. Immediately, one of them broke loose from the pack and headed towards my pink Crazy Charlie. Tacon didn't hesitate and yelled for me to strip my line in short bursts. I was in for a major surprise when the bone took my fly and along with it went between 50 and 60 yards of my line and backing in the first run. Its strength and agility was incredible; a lot more striking than the trout I was accustomed to catching in the rivers of my native Patagonia.

Near noontime and after this remarkable first experience, we headed towards Playa de los Indios. It was now time to look for permits.

Upon arrival we changed our bonefish flies for others more appetizing to permit; I picked a brown Rag Head Crab. My focus was now directed towards finding that intelligent, cagey and very slippery species. I knew I had to do everything right, since the slightest noise or even an improper fly presentation would trigger the fishes acute preservation instinct.

On this occasion I was with Daniel Beilinson, who while fishing in front of me, noticed the nervous waters caused by a school of permit. When they are not stirring up the waters, these animals reveal themselves by the contrast of their black tail against the white sand bottom and Caribbean blue Ocean. After several

truchas.

Cuando me señalaron otra vez a los bonefish tuve un certero tiro y la mosca fue a parar justo frente a la escuela. Entonces, uno de ellos se desprendió y giró hacia mi Crazy Charlie color rosa. Tacon me gritó inmediatamente que jale la línea para atraer a la pieza con cortos tirones. Mi sorpresa fue enorme cuando al tomar la mosca, se llevó entre 50 y 60 yardas de mi línea y backing en la primera corrida. Su fuerza y habilidad eran increíbles, mucho más impactante que la de las truchas que estaba acostumbrado a capturar en los ríos de mi Patagonia.

Después de esa placentera primera experiencia, partimos, ya al mediodía, hacia

The ocean views from the bungalows at Playa Blanca are second to none.
El paisaje del mar desde los bungalows en Playa Blanca es incomparable.

The Chac Mool ruins date 900 A.D. and have been recently restored.
Las ruinas de Chac Mool, recientemente restauradas, fueron construidas en 900 D.C.

attempts to position ourselves for a cast, a school of four cruised in front of our boat at a distance of about 30 feet. With a precise toss, my fly landed right in front of the pack. With the first strip, one of the permits took an interest in my offering and headed right for the hook. Without a doubt I was the beneficiary of an important dose of beginner's luck; on my very first cast I had managed to land a four pound permit. It was a great accomplishment, which now invited me to dream about catching a tarpon and completing a Grand Slam on my first day.

Encouraged by Daniel we headed north to Punta Herrero, a 30 minute trip. Once in place, while floating between mangroves and small bays, we set up a 10 wt. rod with a floating line, to go after tarpon. The guide took us into small calm water inlets and there he masterfully push poled the boat into striking position. All of a sudden a school of seven tarpon weighing between 5 and 10 pounds flashed in front of our eyes, but we were unable to capture them. We later took some shots at a large school of jacks and headed back to base.

During the final days of our trip we visited Tupac lagoon, which is part of the Santa Rosa lagoon system. Tupac, located only 10 minutes from the lodge, is a tarpon and snook only destination. For this adventure, we boarded very narrow

Playa de los Indios, para ir en busca de palometas.

Allí cambiamos las moscas de macabí por otras tentadoras para los permit, yo elegí un Rag Head Crab color marrón. Mi inquietud era ahora encontrarme con esa especie inteligente, hábil y esquiva. Sabía que tenía que actuar con sagacidad, pues ante el menor ruido o error, despertaría su fuerte instinto de preservación.

Esta vez estaba con Daniel Beilinson, quien delante de mí, vio pasar el movimiento nervioso de las escuelas de palometas. A veces, se percibían por sus colas negras que contrastaban con el blanco de la arena y el celeste del mar. Otras, por el oleaje inconfundible en V que dejan en la superficie cuando se trasladan. Luego de varios intentos para interceptarlas, una escuela de cuatro pasó a unos 10 metros de la embarcación y con un preciso tiro la mosca cayó justo delante del grupo. Con el primer strip, una de las palometas se separó de las otras y se dirigió hacia el señuelo. Sin duda, la suerte de principiante me había acompañado ese día, porque de un solo tiro logré atrapar una palometa de cuatro libras. Era una gran hazaña que me invitaba a soñar con un sábalo, para alcanzar mi primer Grand Slam.

Alentado por Daniel, nos dirigimos a Punta Herrero, un viaje de 30 minutos al

The fishing day in Espiritu Santo Bay begins in Sacrificio.
El día de pesca dentro de la Bahía del Espíritu Santo comienza en Sacrificio.

Canadian style canoes, since larger boats cannot navigate through the interconnecting passageways found in this area.

Once we spotted the Tarpons, we set up our 10 wt. rods, and between Daniel and I we hooked into a dozen Silver Kings weighing between 15 and 20 pounds. Nevertheless, after all was said and done we managed to land only two, of 9 and 10 pounds.

On our last day in Playa Blanca we went back to the bones and permits which reside in Sacrificio. The fishing was again successful with a tally of nine bonefish and a seven pound permit. A grand finally well up to the level of this prestigious lodge.

norte. Una vez allí, entre mangles y pequeñas bahías, cambiamos el equipo por una caña #10 con línea de flote para sábalo. El guía nos llevó a las bahías de aguas calmas, empujando con maestría el push pole, para forzar un encuentro con los baby tarpon. Apareció una escuela de siete, de entre 5 y 10 libras, pero no logramos capturarlos y luego de otros tiros a escuelas de pargos grandes, emprendimos el regreso.

Durante los últimos días del viaje, nos internamos en la laguna Tupac, parte de la laguna de Santa Rosa, a menos de 10 minutos del lodge. El programa era sólo para la pesca de sábalo y robalo. Subimos a canoas tipo canadiense, bien angostas, debido a que no se puede ingresar a ese lugar con botes mayores.

Una vez avistados los peleadores Reyes de Plata, como se conoce a los sábalos, armamos equipos utilizando cañas #10. Entre Daniel y yo clavamos más de una decena, de entre 15 y 20 libras, y capturamos dos, uno de 9 y otro de 10 libras.

En nuestro último día en Playa Blanca volvimos a los macabíes y a las palometas en la zona de Sacrificio. La pesca fue exitosa pues capturamos nueve macabíes y una palometa de 7 libras. Un final acorde al nivel de este prestigioso lodge.

Guide Tacon Ayuso observes how his client Juan Pablo Reynal releases a cast directed at a school of bonefish.
El guía Tacon Ayuso observa cómo su cliente, Juan Pablo Reynal, lanza un cast dirigido a una escuela de macabíes.

Bonefish tailing, Ensenada Bay, 8:30 a.m.
Macabíes coleando, Bahía Ensenada, 8:30.

Eric Carvalho stripping for permit in Los Indios.
Eric Carvalho jala la línea buscando palometas en Los Indios.

The passageway which connects the ocean with Ensenada Bay.
El canal que une el mar con la Bahía Ensenada.

After a 30 minute ride from Sacrificio to Ensenada, Daniel Beilinson prepares to disembark, ready to enjoy some great bone fishing in the flats.
Después de un viaje de 30 minutos, que lo llevó desde Sacrificio hasta Ensenada, Daniel Beilinson se prepara para bajar de la embarcación y disfrutar de la excelente pesca de macabíes en los bajíos.

Releasing a 3 pound bonefish in the murky waters of a river located one hour west of Sacrificio, which drains into Espiritu Santo Bay.
Devolviendo un macabí de 3 libras en las aguas turbias de un caño, que drena sus aguas a la Bahía del Espíritu Santo, a una hora de Sacrificio.

The Ensenada flats.
Los bajíos de Ensenada.

Under the watchful eye of his guide Jorge Angulo, Daniel hooks a bone while a stingray cruises by undisturbed.
Bajo la mirada atenta de su guía Jorge Angulo, Daniel libra una batalla con un macabí, mientras una raya se pasea indiferente.

Searching for Tarpon in Tupac Lagoon. There are 22 registered
archeological sites inside the Sian Ka'an Biosphere Reserve.
*Buscando sábalos en la laguna Tupac. Existen más de 22 sitios arqueológicos
dentro de la Reserva Biospherica de Sian Ka'an.*

Tacon observes while Juan Pablo releases a 3 pound bonefish caught with an 8 wt. rod, WFF line, 8 pound test 9 foot leader and a pink Crazy Charlie on a #6 hook.
Tacon observa mientras Juan Pablo devuelve un macabí de 3 libras que capturó con una caña #8, línea WFF con un leader de 8 libras, 9 pies de largo y una Crazy Charlie rosa en anzuelo #6.

Delivering a cast from inside the canoe; uncomfortable but effective.
Lanzando desde la canoa canadiense. No muy cómodo, pero efectivo.

EQUIPMENT AND FLIES

Bonefish: 8 wt. rod, floating line (WFF). Leader: 9-10 ft. with 8-10 lb. tippet. Flies: Crazy Charlie, Bonefish Bitters, Mini Crystal Shrimp in pink, white or tan and brown, all on # 6 or #8 hooks.

Permit: 9 wt. or 10 wt. rod, floating line (WFF). Leader: 9 or 10 ft. with 20 lb. tippet. Flies: Rag Head Crab, Del's Merkin Crab, Secret Brown (DB Crab), colors tan or brown, all on #2 or #4 hooks.

Tarpon: 10 wt. rod, floating line (WFF) or Intermediate. Leader: 16 lbs. "Bimini Twist" with 40/60 lb. (hard) shock tippet. Flies: Purple Death, Black Death, Cockroach or Deceivers on 2/0 3/0 or 4/0 hooks.

EQUIPOS Y MOSCAS

Macabí: *caña #8, línea de flote (WFF), leader de 9 ó 10 pies con tippet de 8 a 10 libras, las moscas Crazy Charlie, Bonefish Bitters, Mini Kristal Shrimp en colores rosa, blanco, tan y marrón con ojos no muy lastrados y anzuelo #6 ú #8.*

Palometa: *caña #9 o #10, línea de flote (WFF), leader de 9 o 10 pies con tippet de 20 libras. Moscas tipo cangrejo Rag Head Crab, Del´s Merkin, Secret Brown (DB Crab), color tan ó marrón anzuelo #2 o #4.*

Sábalo: *caña #10, línea de flote (WFF) o Intermediate, leader tipo "Bimini Twist" 16 libras y shock tippet de 40/60 libras (hard). Las moscas Purple Death, Black Death, Cockroach o Deceivers en anzuelo 2/0; 3/0 ó 4/0.*

Daniel uses his "Boga Grip" to lift a 10 pound tarpon caught on a 10 wt. rod, with an intermediate line, "Bimini Twist" leader with 60 pound shock tippet and a blue and white Deceiver on a 4/0 hook.
Daniel utiliza su "Boga Grip" para levantar un sábalo de 10 libras, pescado con una caña #10, línea intermediate, leader bimini twist con shock tippet de 60 libras y una Deceiver azul y blanca atada en un anzuelo 4/0.

COSTA DE COCOS LODGE BAHÍA DE CHETUMAL

By/Por Juan Pablo Reynal

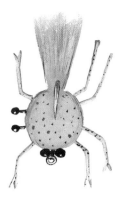

"Mc Crab"

Archeological wonders, jungles, lagoons, vast coral reefs nestled in protected waters and never ending soft white sand beaches define the southern tip of Quintana Roo. This paradise is home to Xcalak and gateway to Chetumal Bay.

Surrounded by traditional coconut plantations and just a few miles to the north of town is Costa de Cocos Resort. This unique hamlet is surrounded by natural beauty and bountiful wildlife.

Owners David and Ilana Randall are committed to protecting the local environment. Their intentions with Costa de Cocos are to providing a first class hideaway far from the hustle and bustle of everyday life.

The Chetumal Bay flats are considered some of the best fishing grounds in the entire Yucatan Peninsula. This accolade is product not only of the volume and variety of game fish, but also of the pristine and virgin environment in which they reside. You can literally cast for hours or even days without seeing other boats or anglers, the result of a far reaching body of water that surprises with boundless natural sanctuaries.

A fifteen minute boat ride from the lodge, takes you to some of the most privileged fishing grounds in the area, they are Cayo Judío, Permit Point, Quick Sand Flat, Nato's Flat and Bone Island.

With our guides Alberto Batun Palomo and Nemesio Young we began our last fishing outing in the Mexican Caribbean. On yet another sunny morning, with

Riquezas ecológicas, junglas, lagunas, extensos corales en áreas protegidas, e interminables playas de arena suave caracterizan la parte más austral de Quintana Roo, donde se encuentra Xcalax. Desde este pueblo, cerca de la frontera con Belice, se accede a la Bahía de Chetumal.

Rodeado de antiguas plantaciones de cocos, y a pocos kilómetros al norte de Xcalak, en una remota y escasamente desarrollada zona, se encuentra Costa de Cocos Resort. Este lodge está rodeado de belleza natural y vida silvestre. Llegar hasta él significa una privilegiada oportunidad de internarse en un remanso, junto al mar del Caribe Mexicano.

Sus dueños, David e Ilana Randall, están comprometidos con el cuidado del medio ambiente y su intención con Costa de Cocos fue desarrollar un complejo de primera clase en un sitio alejado de los ruidos y la prisa.

Los flats de la Bahía de Chetumal están considerados como unos de los mejores ambientes de pesca en toda la Península de Yucatán. Esto es así no sólo por su riqueza y variedad de peces, sino porque se presentan vírgenes y prístinos. Allí se puede mosquear durante horas y días enteros sin cruzarse con otras embarcaciones, debido a la vasta extensión y a la soledad con la que sorprenden estos bellísimos rincones naturales.

Desde el lodge Costa de Cocos, a unos quince minutos de navegación, los lugares privilegiados para la pesca son Cayo Judío, Permit Point, Quick Sand Flat, Nato's Flat y Bone Island.

Con los guías Alberto Batun Palomo y Nemesio Young partimos en nuestra última

LAGUNA HUACH

MEXICO

PUNTA ROCKY

PUNTA SIETE MOGOTES

BAHÍA COROZAL

PUNTA GAVILÁN

ISLA MALA NOCHE

COSTA DE COCOS LODGE

XCALAK

LAGUNA XCALAK

ISLA LA AGUADA

LAGUNA
SHIPSTERN

BAHÍA
DE CHETUMAL

MAR CARIBE

THE FINGERS

BONE ISLAND

PERMIT POINT
CANAL DE ZARAGOZA

NATO'S FLAT

QUICK SAND FLAT

CAYO CHELEM

CAYO JUDÍO

BOCA BACALAR CHICO

PUNTA MAYA FLAT

BELICE

CAYO AMBERGRIS

BELICE

CAYO DEER

N

Punta Maya Flats.
Los bajíos de Punta Maya.

All activities the lodge has to offer start here.
Punto de partida para todas las actividades que ofrece el lodge.

the break of dawn, we headed inside Chetumal Bay and a 45 minute ride to our final destination, an area known as The Fingers. I was accompanied by Daniel, my fishing companion and Lisa, my wife, an experienced fresh water angler who accepted the challenge of being the only female representative.

The Fingers is an enclave which has a solid reputation when it comes to bonefishing. At first we powered towards our chosen location at full speed, but not long thereafter the shallow waters forced us to disembark, an opportunity to test our fitness by pushing the boat the rest of the way.

The effort was well worth it as we came upon a place of immense beauty and incalculable bonefish. As soon as the guide had finished positioning the boat, the first school of over fifty appeared. Dozens and dozens of bones were cruising in front of our eyes, in what appeared to be a wide open highway with no corners or red lights.

Lisa, amazed by the proceedings made her first cast and seconds later reacted exultant having captured her first fish. Witnessing this veritable feast, I wasted no time and introduced my fly in the water. Seeing that I had gotten a bite almost instantly, Daniel became enthused, prepared his equipment and also got into the action. No more than 60 seconds had expired and another bone! Three hook ups

excursión de pesca por el Caribe Mexicano. En una soleada mañana salimos muy temprano hacia la Bahía de Chetumal y luego de 45 minutos de tranquila navegación llegamos hasta la zona denominada The Fingers. Daniel, mi compañero de pesca y Lisa, mi mujer, una norteamericana habituada a la pesca con mosca en ríos y lagos, se sumó a nuestra expedición y aceptó el desafío de ser la única representante femenina.

The Fingers es un lugar que tiene una sólida fama a la hora de hablar de poblaciones de macabíes. Al principio, nos dirigíamos hasta allí con el bote a todo motor, pero luego, el trayecto se hizo difícil por la escasa profundidad del agua y entonces debimos bajarnos, poner a prueba nuestra fuerza y empujar la embarcación.

El esfuerzo valió la pena porque pudimos acceder a una zona de inmensa belleza e incalculable cantidad de macabíes. Una vez que el guía ubicó el bote, apareció la primera escuela de más de medio centenar. Decenas y decenas de macabíes se trasladaban a toda velocidad en aquella carretera de agua, sin esquinas ni semáforos en rojo.

Lisa, entusiasmada, arrojó su primer tiro y, pocos segundos después reaccionó exultante cuando había capturado su primer bone.

Frente a la abundancia que se nos presentaba, tentadora, delante de nuestra embarcación, yo no perdí tiempo y también tiré. Al capturar otro ejemplar en forma casi

at the same time. The party lasted for almost an hour and more than 50 fish were caught and released alive.

It was a glorious farewell to our last adventure in the Yucatan. We had confirmed why these flats are so well regarded by discerning fly fishermen who have had the privilege of experiencing them.

When we left The Fingers for Punta Maya, we continued to cast from the boat at passing permits and Barracudas. But the perfect cap to a spectacular journey came when we were given the unforgettable opportunity to dive in search of our farewell dinner lobsters. That night at the lodge's restaurant we enjoyed our very own catch of the day.

For Daniel, Lisa and I our Mexican Caribbean adventure was over. During a period of two months we had traveled to all the best fly fishing spots in The Yucatan, from the small island of Holbox to the North, all the way to the this magnificent resort located near the border with Belize.

The Yucatán Peninsula. What an amazing place! Its history, the color of the water, the warmth of the people, in every bay a surprise, in each lagoon a mystery. We had come in search of permits, tarpons, bonefishes and snooks. We left with much more than the simple sensation of having caught them all. We returned with that unmistakable fishermen's smile which says it all.

instantánea, Daniel se entusiasmó, preparó su equipo e introdujo su mosca al agua. No pasaron 60 segundos y ¡otro macabí!. Tres enganches al mismo tiempo. La fiesta continúo por casi una hora, más de 50 piezas fueron pescadas y luego devueltas con vida.

Por ser nuestra última salida de pesca en Yucatán, fue una despedida gloriosa para nosotros. Habíamos comprobado por qué estos flats son tan bien recordados por los pescadores que han tenido el privilegio de internarse en ellos.

Cuando abandonamos The Fingers, con rumbo a Punta Maya, lo hicimos casteando desde la embarcación en busca de barracudas y palometas. Pero el broche de oro de la jornada fue la posibilidad única que tuvimos de bucear en busca de nuestras propias langostas, que más tarde degustaríamos durante la cena de despedida en el restaurante del lodge.

Para Daniel, Lisa y yo la aventura en el Caribe Mexicano había terminado. Durante dos meses recorrimos los mejores lugares de pesca con mosca desde la pequeña isla de Holbox, al norte de la península, hasta este magnífico resort ubicado cerca de la frontera con Belice.

La Península de Yucatán. ¡Qué lugar!. Su historia, el color de sus aguas, la calidez de su gente, en cada bahía una sorpresa, en cada laguna un misterio. Habíamos llegado en busca de las palometas, sábalos, macabíes y róbalos. Nos fuimos con mucho más que la simple sensación de haberlos capturado. Regresamos con esa desbordante sonrisa de pescador que lo dice todo.

5:45 a.m. sunrise, as seen from the boats on route to Chetumal Bay.
5:45, el amanecer visto desde los botes, camino a la Bahía de Chetumal.

Lobsters for dinner?.
¿Langosta para la cena?.

The beach at Costa de Cocos Resort.
La espléndida playa de Costa de Cocos Resort.

Lisa Reynal and her guide, Alberto Batun Palomo, tread lightly near Quick Sand Flat in search of bonefish
En busca de macabíes, Lisa Reynal y su guía, Alberto Batun Palomo, caminan atentamente por Quick Sand Flat.

There they are!!!
¡Ahí están!

Experience guides see the fish long before their clients, so
their advice on cast direction is the key to success.
Los guías experimentados ven los peces mucho antes que sus clientes.
Por consiguiente, el consejo respecto de la orientación del cast es clave.

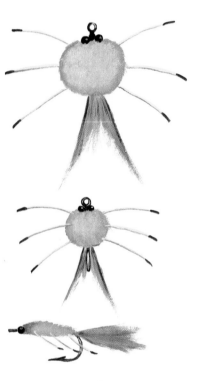

"Rag Head Crab"

A 3 pound bonefish is released into the crystal
clear waters so characteristic of Chetumal Bay.
Un macabí de 3 libras es devuelto a las cristalinas y
emblemáticas aguas de la Bahía de Chetumal.

The lodge has a special spot, cool and comfortable for you to check out your fly box...

El lodge tiene una ubicación especialmente fresca y cómoda para revisar su cajita de moscas...

... and another just as good, for tying them. In this case Daniel Beilinson is preparing a Special Brown Crab tied on a #6 hook.

...también tiene otra igualmente buena para atarlas. En esta instancia, Daniel Beilinson prepara un Special Brown Crab atado en un anzuelo #6.

A typical mid afternoon Caribbean storm threatens to drive us away from Quick Sand Flat.
Una típica tormenta caribeña de media tarde amenaza con desplazarnos de Quick Sand Flat.

Longtime guide Nemesio Young points as Daniel unloads a cast with his Sage 8 wt.
Nemesio Young, antiguo guía de la zona, apunta mientras Daniel lanza un cast con su caña Sage #8.

This time the victim is a 3.5 pound bonefish, which carelessly took a shrimp pattern tied on a #8 hook.

Esta vez el premio fue un macabí de 3.5 libras, que distraído, tomó un Shrimp Pattern atado en un anzuelo #8.

The bone is released into the waters of Nato's Flat.
El macabí es devuelto a las aguas de Nato's Flat.

Tropical paradise. Costa de Cocos Resort, Xcalak, Mexico.
Paraíso tropical, Costa de Cocos Resort, Xcalak, México.

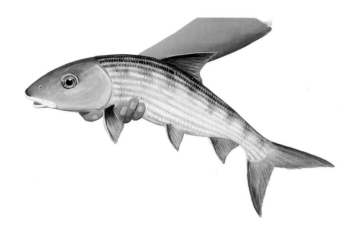

Rod tip up, Juan Pablo Reynal and his guide
Nemesio Young gaze down at the defeated prey.
Con la caña bien arriba, Juan Pablo Reynal y su guía
Nemesio Young, fijan la mirada en la presa derrotada.

Chetumal Bay has arguably the best
bone fishing in the Yucatan.
La Bahía de Chetumal tiene, probablemente, la
mejor pesca de macabíes en todo el Yucatán.

Casting from the deck of the panga "Bone-a-Fly",
while cruising in the waters of Quick Sand Flat.
Casteando desde la plataforma de la panga "Bone-a-Fly",
mientras navegamos por las aguas de Quick Sand Flat.

Standing like a Conquistador, Daniel and Nemesio head towards imminent glory, behind Lisa, Juan Pablo and Alberto complete the Armada.
Parado como un conquistador, Daniel va a la gloria, junto a su guía Nemesio. Detrás, Lisa, Juan Pablo y Alberto completan la flotilla.

Victory!!! Daniel and a beautiful permit caught with a 10 wt. rod, WFF line, and the Special Brown Crab he had tied back at the lodge.

¡Victoria! Daniel y una bellísima palometa capturada con una caña #10, línea WFF y una Special Brown Crab, que el mismo había atado previamente en el lodge.

The fish is given the opportunity to recover, before being
released back to the waters of Permit Point...
El pez se recupera antes de regresar a las aguas de Permit Point...

EQUIPMENT AND FLIES

Bonefish: 7 wt. or 8 wt. rod, floating line (WFF). Leader: 9-10 ft. with 8-10 lb. tippet. Flies: Gotcha, Bonefish Muddler, Crazy Charlie in pink, white or brown, all on #4 or #6 hooks. Flies should be of light colors on account of the shallow waters.

Permit: 10 wt. rod, floating line (WFF). Leader: 9 or 10 ft. with 20 lb. tippet. Flies: Rag Head Crab, McCrab, Brown Special Crab, Jack's Mantis Shrimp, all on #2 or #4 hooks.

Tarpon: 10 wt. rod, floating line (WFF) or Intermediate. Leader: 16 lbs. "Bimini Twist" with 60 lb. (hard) shock tippet. Flies: Deceiver, Sea Bunny, Purple Death on 2/0 or 3/0 hooks.

EQUIPOS Y MOSCAS

Macabí: *caña #7 o #8, línea de flote (WFF), leader de 9 ó 10 pies con tippet de 8 a 10 libras, las moscas Gotcha, Bonefish Muddler, Crazy Charlie rosa, blanca y marron en anzuelos #4 o #6. . Las moscas deben ser de colores claros a razon de la poca profundidad de las aguas.*

Palometa: *caña #10, línea de flote (WFF), leader de 9 o 10 pies con tippet de 20 libras. Moscas tipo cangrejo Rag Head Crab, Brown Special Crab, McCrab, Jack's Mantis Shrimp en anzuelos #2 o #4.*

Sábalo: *caña #10, línea de flote (WFF) o Intermediate, leader tipo "Bimini Twist" 16 libras y shock tippet de 60 libras (hard). Las moscas Deceiver, Sea Bunny, Purple Death, en anzuelos 2/0 o 3/0.*

Maya definitions

Vocablos Maya

Holbox: Black hole / *Hoyo negro*
Box: black / *Negro*
Cozumel: Cuzamil: Swallow island / *Isla de las golondrinas*
Cuzam: Swallow / *Golondrina*
Cancun: Serpent's nest / *Nido de serpientes*
Chaak: Rain god (Rain) / *Dios de la lluvia (Lluvia)*
Chak: Red / *Rojo*
Che´: Wood / *Madera*
Ha´: Water / *Agua*
Ik: Wind / *Viento*
Káax: Jungle / *Selva*
Nohoch: Big / *Grande*

Ts´onoot: Natural spring / *Cenote*
Sak Beoob: White road / *Camino blanco*
Sabukan: Bag / *Bolsa*
Chibal: Mosquito / *Mosquito*
Yax-Kach: Fly / *Mosca*
Kay: Fish / *Pez*
Xok: Shark / *Tiburón*
Ayim: Crocodile / *Cocodrilo*
Ik: Chile / *Chile*
Pib: Traditional underground oven / *Horno tradicional bajo tierra*
Pibil: Barbeque / *Barbacoa*

"Tarpon Streamer red / Yellow"

The end of another adventure. For now…
El final de otra aventura. Por ahora…

Acknowledgments / Agradecimientos

Especially / *Especialmente*:

Lisa Reynal & Nassim Joaquin Delbouis

The following people contributed to the production of "Fly Fishing Mexico - The Yucatan Peninsula"

Las siguientes personas contribuyeron a la producción de "Fly Fishing Mexico - The Yucatan Peninsula".

HOLBOX

Alejandro Vega Cruz (Outfitter)

Francesca Golinelli

(Owner / Dueña Hotelito Casa Las Tortugas)

Humberto (Beto) Marfil Vega (Guide / Guía)

Tomás Zapata Ancona (Guide / Guía)

COZUMEL

Nacho Euan Martin (Outfitter)

Martha Nieto (Playa Azul Golf & Beach Resort)

Adrián Angulo Romero "Pipiolo" (Casa Denis)

Albert Euan (Guide / Guia)

Gaspar Chulim (Guide / Guia)

BOCA PAILA

Ricardo González Riefkohl (Lodge Owner / Dueño)

Ursula Kreitmeier S. (Sales Manager / Gerente de Ventas)

Gualberto "Chico" Caamal (Lodge Manager / Gerente)

Eduardo Gomez (Guide / Guia)

Alfonso Moo Martin (Guide / Guia)

CASA BLANCA

Bobby Settles (Lodge Owner / Dueño)

Steve Spencer (Lodge Manager / Gerente)

Eric Carvalho (Food & Beverage Manager / Gerente de Alimentos y Bebidas)

Lester (Casting Instructor / Instructor de Casteo)

Fernando Fernández (Guide / Guia)

Luis Hernández (Guide / Guia)

Eladio Chin Ruíz (Guide / Guia)

PLAYA BLANCA

Bobby Settles (Lodge Owner / Dueño)

Simon (Head Waiter / Maitre)

Jesus Elias Ayuso Vivas "Tacon" (Guide / Guia)

Jorge Angulo Tut (Guide / Guia)

COSTA DE COCOS

David & Ilana Randall (Lodge Owners / Dueños)

Alberto Batun Palomo (Guide / Guia)

Nemesio Young (Guide / Guia)

BOOKINGS / RESERVAS

To book your Fly Fishing Vacation in HOLBOX,

COZUMEL & COSTA DE COCOS / *Para reservar su*

vacación de Pesca con Mosca en HOLBOX, COZUMEL &

COSTA DE COCOS:

Fly Fishing Caribe:

Paraguay 647 8º "31" - (1057) Buenos Aires - Argentina

Tel / Fax: (+54-11) 4311-1222

info@flyfishingcaribe.com

www.flyfishingcaribe.com

To book your Fly Fishing Vacation in CASA BLANCA &

PLAYA BLANCA / *Para reservar su vacación de Pesca con*

Mosca en CASA BLANCA & PLAYA BLANCA:

Outdoor Travel:

Outdoor Travel Inc. - 1325 S.77 Sunshine Strip #217

Harlingen, Tx 78550 / 800-533-7299

956-428-5666 phone / 956-428-5959 fax

outdoortravelinc@rgv.rr.com

To book your Fly Fishing Vacation in BOCA PAILA / *Para*

reservar su vacación de Pesca con Mosca en BOCA PAILA:

Boca Paila Lodge

(+52-998) 8878490, 8921200, 8921201

info@bocapaila.com - ursula@bocapaila.com

PHOTOGRAPHIC CREDITS / CREDITOS FOTOGRÁFICOS

Francisco Bedeschi:

Páginas: 5, 18 (Inferior) 19, 20-21, 22 (Superior), 23 (Inferior), 24, 25, 26, 27, 28, 29, 30, 31, 32, 33, 34-35, 44, 45, 46, 47, 48, 49 (Superior), 60-61, 62, 63, 65, 66-67, 68, 69, 70, 71, 72, 73, 77, 79, 80, 81, 82-83, 84, 85, 86, 87 (Inferior), 88 (Superior e izquierda), 89, 90, 91(Superior), 95, 98, 99, 100-101, 102 (Superior), 103, 104, 105, 106-107, 108, 114-115, 116,117, 118, 119, 120,121,122,123,124,125,126-127, 128, 129, 130, 131, 132, 133, 135

Fritz Eisele:

Páginas: 40, 41, 42,43, 49 (Inferior), 50, 51, 52

Juan Pablo Reynal:

Páginas: 16, 17, 18 (Superior), 22 (Inferior), 23 (Superior), 53, 56, 57, 58, 59, 76, 78, 87 (Superior), 88 (derecha), 91(inferior), 94, 96, 97, 102 (Inferior), 109, 112, 113.

Archive /Archivo:

Páginas: 10, 13, 64

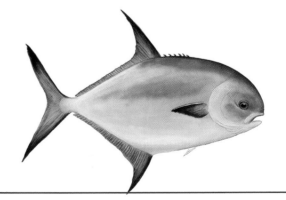